LE VIEIL HOMME ET LA MER

*Ernest Hemingway est né à Oak Park, en
Illinois, le 21 juillet 1899. Engagé volon-
taire en 1918, il est grièvement blessé sur
le front italien. Il est ensuite envoyé à
Paris comme correspondant de presse, et y
publie ses premiers récits, avant de s'im-
poser avec les deux romans :* Le soleil se
lève aussi *et* l'Adieu aux Armes.
Le Vieil Homme et la Mer *paraît en 1952.
En 1954, l'écrivain reçoit le Prix Nobel de
littérature.
Il meurt en 1961.*

Le vieil homme part tout seul, sur la mer,
dans sa petite barque, à la recherche d'un
grand poisson. Le grand poisson mord à
son hameçon. Pendant trois jours et deux
nuits le vieux luttera contre lui. A la fin,
au prix d'efforts incroyables, il en viendra
à bout. Le vieux installe sa voile et met le
cap sur la terre. Au bout d'une heure, les
requins arrivent et dévorent le grand poisson. Le vieux en tue autant qu'il peut,
mais quand il rentre au port il ne reste du
poisson que la tête et l'arête.
C'est la condition même de l'homme qui
est dépeinte ici; c'est l'histoire du courage
humain, de l'énergie humaine, de l'amour
des êtres; c'est le poème de la pêche au
gros poisson, c'est la victoire du cœur sur
le désespoir.

ŒUVRES DE ERNEST HEMINGWAY

nrf

CINQUANTE MILLE DOLLARS
L'ADIEU AUX ARMES
LE SOLEIL SE LÈVE AUSSI
LES VERTES COLLINES D'AFRIQUE
MORT DANS L'APRÈS-MIDI
EN AVOIR... OU PAS
DIX INDIENS, *suivi de*
LES NEIGES DU KILIMANDJARO
PARADIS PERDU, *suivi de*
LA CINQUIÈME COLONNE
LE VIEIL HOMME ET LA MER
PARIS EST UNE FÊTE
SOUS LES ARBRES DE L'AUTRE RIVE

Édition illustrée pour enfants :

LE VIEIL HOMME ET LA MER, *illustré par Puig Rosado*

Parus dans Le Livre de Poche :

L'ADIEU AUX ARMES
PARADIS PERDU
POUR QUI SONNE LE GLAS
LE SOLEIL SE LÈVE AUSSI
LES NEIGES DU KILIMANDJARO, *suivi de* DIX INDIENS
CINQUANTE MILLE DOLLARS
EN AVOIR... OU PAS
MORT DANS L'APRÈS-MIDI

ERNEST HEMINGWAY

Le vieil homme et la mer

TRADUIT DE L'ANGLAIS PAR JEAN DUTOURD

ROMAN

GALLIMARD

Il était une fois un vieil homme, tout seul dans son bateau, qui pêchait au milieu du Gulf-Stream. En quatre-vingt-quatre jours, il n'avait pas pris un poisson. Les quarante premiers jours, un jeune garçon l'accompagna; mais au bout de ce temps, les parents du jeune garçon déclarèrent que le vieux était décidément et sans remède *salao,* ce qui veut dire aussi guignard qu'on peut l'être. On embarqua donc le gamin sur un autre bateau, lequel, en une semaine, ramena trois poissons superbes.

Chaque soir le gamin avait la tristesse de voir le vieux rentrer avec sa barque vide. Il ne manquait pas d'aller à sa ren-

contre et l'aidait à porter les lignes serrées
en spirales, la gaffe, le harpon, ou la voile
roulée autour du mât. La voile était ra-
piécée avec de vieux sacs de farine; ainsi
repliée, elle figurait le drapeau en berne
de la défaite.

Le vieil homme était maigre et sec,
avec des rides comme des coups de couteau sur la nuque. Les taches brunes de
cet inoffensif cancer de la peau que cause
la réverbération du soleil sur la mer des
Tropiques marquaient ses joues; elles couvraient presque entièrement les deux côtés
de son visage; ses mains portaient les
entailles profondes que font les filins au
bout desquels se débattent les lourds poissons. Mais aucune de ces entailles n'était
récente : elles étaient vieilles comme les
érosions d'un désert sans poissons.

Tout en lui était vieux, sauf son regard, qui était gai et brave, et qui avait
la couleur de la mer.

« Santiago, dit le gamin tandis qu'ils

escaladaient le talus après avoir tiré la barque à sec, je pourrais revenir avec toi maintenant. On a de l'argent. »

Le vieux avait appris au gamin à pêcher et le gamin aimait le vieux.

« Non, dit le vieux, t'es sur un bateau qu'a de la veine. Faut y rester.

— Mais rappelle-toi quand on a passé tous les deux vingt-sept jours sans rien attraper, et puis tout d'un coup qu'on en a ramené des gros tous les jours pendant trois semaines.

— Je me rappelle, dit le vieux. Je sais bien que c'est pas par découragement que tu m'as quitté.

— C'est papa qui m'a fait partir. Je suis pas assez grand. Faut que j'obéisse, tu comprends.

— Je sais, dit le vieux. C'est bien naturel.

— Il a pas confiance.

— Non, dit le vieux. Mais on a confiance, nous autres, hein?

— Oui, dit le gamin. Tu veux-t-y que Je te paie une bière à la *Terrasse?* On remisera tout ça ensuite.

— C'est ça, dit le vieux. Entre pêcheurs. »

Ils s'assirent à la *Terrasse* où la plupart des pêcheurs se moquèrent du vieux, mais cela ne l'irrita nullement. Les autres vieux le regardaient et se sentaient tristes. Toutefois ils ne firent semblant de rien et engagèrent une conversation courtoise sur les courants, les fonds où ils avaient traîné leurs lignes, le beau temps persistant et ce qu'ils avaient vu. Les pêcheurs dont la journée avait été bonne étaient déjà rentrés; leurs poissons ouverts étaient étalés sur deux planches, que quatre hommes, un à chaque bout, portaient en vacillant jusqu'à la pêcherie; le camion frigorifique viendrait chercher cette marchandise pour l'amener au marché de La Havane. Ceux qui avaient attrapé des requins les avaient livrés à « l'usine à requins », de l'autre côté de la baie, où l'on pend les squales à un croc, pour leur enlever le foie, leur couper les ailerons, et les écorcher. Après quoi leur chair débitée en filets va au saloir.

Quand le vent soufflait de l'est, l'odeur de « l'usine à requins » remplissait le port; ce jour-là il n'en arrivait qu'un faible relent, car le vent, après avoir tourné au nord, était tombé. Il faisait bon, au soleil, sur la *Terrasse*.

« Santiago, dit le gamin.

— Quoi? » dit le vieux. Il tenait son verre à la main et songeait aux jours anciens.

« Veux-tu que j'aille te pêcher des sardines pour demain?

— Non. Va plutôt jouer au base-ball. Je peux encore ramer et Rogelio lancera le filet.

— J'aimerais bien, pourtant. Comme j'ai plus le droit de pêcher avec toi, alors je cherche à t'aider autrement.

— Tu m'as payé à boire, dit le vieux.
T'es déjà un homme.

— Quel âge que j'avais quand tu m'as
emmené dans un bateau pour la première
fois?

— T'avais cinq ans et t'as bien failli y
rester! Tu te rappelles quand j'ai amené
le poisson sans l'avoir assez fatigué et
qu'il a manqué démolir toute la bou-
tique?

— Tu penses que je me rappelle! Il
donnait des coups de queue et ça faisait
un de ces raffuts! Et puis le banc qui a
cassé; toi, tu flanquais des coups au poisson, et puis tu m'as basculé à l'avant, en
plein dans les paquets de lignes mouillées;
je sentais le bateau qui tremblait, je
t'entendais cogner à toute force comme
si tu coupais un arbre; et puis je me
rappelle l'odeur du sang qu'était tellement
fade.

— Tu te rappelles vraiment tout ça,
ou bien c'est moi qui te l'ai raconté?

— Je me rappelle tout ce qui s'est passé, depuis la première fois qu'on est sorti ensemble. »

Le vieil homme le regarda de ses bons yeux confiants, pâlis par le soleil.

« Si t'étais mon fils, je t'emmènerais avec moi et je risquerais le coup, dit-il. Mais t'as ton père et ta mère, et t'es dans un bateau qu'a de la veine.

— Tu veux pas que je m'occupe des sardines? Je pourrais même trouver quatre appâts. Je sais où.

— J'ai encore les miens d'aujourd'hui. Je les ai mis au sel dans la caisse.

— Tu veux pas que je t'en apporte quatre frais?

— Rien qu'un », dit le vieux. Son espoir, sa confiance n'avaient jamais faibli, mais, à la fin, s'amenuisaient comme une brise qui tombe.

« Deux, insista le gamin.

— D'accord pour deux, dit le vieux. Tu les as pas volés, au moins?

— Que je me gênerais! dit le gamin. Non, je les ai achetés, ceux-là.

— Merci, mon p'tit », dit le vieux.

Quand le vieil homme avait-il atteint l'humilité? Il était bien trop simple pour le démêler. Mais il savait qu'il l'avait atteinte. Il savait que ce n'était pas honteux. Sa vraie fierté, il ne l'avait nullement perdue.

« On aura une bonne journée demain avec ce courant-là, dit-il.

— Où c'est-y que tu vas aller? demanda le gamin.

— Le plus loin que je pourrai, pour rentrer quand le vent tournera. Faudrait que je sois au large avant qu'il fasse jour.

— Je m'arrangerai pour que le patron il aille aussi au large, dit le gamin. Comme ça, si t'attrapes quelque chose de vraiment gros, on s'amène et on te donne un coup de main.

— Il aime pas sortir trop loin, le patron.

— C'est vrai, dit le gamin. Mais je m'arrangerai pour voir un truc que lui il ne pourra pas voir : un oiseau, tiens, par exemple, en train de manger. Il croira qu'il y a des dorades, et en avant!

— Il y voit pas plus clair que ça?

— Il est quasiment aveugle.

— Ça c'est curieux, dit le vieux. Pourtant il a jamais pêché la tortue, ton patron. C'est ça qui vous tue les yeux.

— Mais toi, t'as pêché la tortue des années, du côté de la Côte des Moustiques et t'as de bons yeux.

— Je suis un drôle de bonhomme.

— Est-ce que tu crois que tu serais encore assez fort pour en ramener un gros, un vraiment gros?

— Il me semble. Et puis il y a des tas de feintes.

— Ramenons toujours tes affûtiaux à la maison, dit le gamin, je prendrai le filet à sardines, comme ça je pourrai pêcher un coup. »

Ils ramassèrent les agrès de la barque.
Le vieil homme avait le mât sur son épaule,
le gamin portait la caisse qui contenait les
lignes brunes en tresse serrée lovées sur
elles-mêmes, la gaffe et le harpon. Le seau
aux appâts était sous l'appontement, à la
poupe, ainsi que le gourdin qui servait à
assommer les grands poissons quand ils
étaient amenés à flanc de barque. Personne
n'aurait rien chipé au vieux, mais c'était
plus prudent de ranger la voile et les grosses lignes auxquelles la rosée ne valait rien.
Les gens du pays, bien sûr, respectaient les
affaires du vieux, mais il ne faut tenter
personne avec une gaffe et un harpon
abandonnés dans un bateau.

Ils marchèrent côte à côte jusqu'à la cabane du vieux, dont la porte était ouverte.
Le vieux appuya contre le mur le mât entouré de sa voile; le gamin déposa à côté
la caisse et les autres objets. Le mât touchait presque au plafond de la cabane.
Celle-ci, composée d'une seule pièce, était

construite avec cette matière dure surnommée *guano* et qui n'est autre qu'un assemblage d'écorces de palmier royal. Elle contenait une table et une chaise. On faisait la cuisine sur un réchaud à charbon de bois posé à même le sol en terre battue. Sur les parois brunes, où pointaient çà et là les feuilles aplaties du *guano* à la fibre résistante, étaient fixées deux gravures en couleurs : le Sacré-Cœur de Jésus et la Vierge de Cobre. C'étaient des souvenirs de sa femme. Le mur autrefois s'ornait d'une photographie en couleurs de l'épouse elle-même, mais le vieux, quand il la regardait, se sentait encore plus seul. Il l'avait rangée sur l'étagère du coin, sous sa chemise de rechange.

« Qu'est-ce que t'as à manger? demanda le gamin.

— Une potée de riz au safran avec du poisson. T'en veux?

— Non. Je mangerai à la maison. Tu veux-t-y que je fasse du feu?

— Non. J'en ferai plus tard. Peut-être que je mangerai le riz froid.

— Je peux-t-y prendre le filet à sardines?

— Bien sûr. »

Il n'y avait pas de filet à sardines; le gamin se rappelait fort bien l'époque où il avait été vendu. Mais ils jouaient cette petite comédie tous les jours. Il n'y avait pas davantage de riz au safran ni de poisson.

« Quatre-vingt-cinq, c'est un bon chiffre, dit le vieux, qu'est-ce que tu dirais si tu me voyais en ramener un qui pèserait une demi-tonne, dans ma frégate?

— Je prends le filet et je vas aux sardines. Pourquoi que tu t'assoirais pas au soleil devant la porte?

— C'est ça. Je vais lire la page de baseball dans le journal d'hier. »

Le gamin ne savait pas si le journal d'hier faisait partie de la comédie. Mais le vieux alla le tirer de dessous son lit.

« C'est Perico qui me l'a donné à la *bodega,* dit-il en manière d'explication.

— Je reviendrai quand j'aurai les sardines. Je mettrai les tiennes et les miennes dans la glace, et demain matin on partage. Quand je me ramènerai, tu me raconteras tout ce qu'y a sur le base-ball.

— Les Yankees peuvent pas perdre.

— Moi, j'ai peur des Indiens de Cleveland.

— Aie confiance dans les Yankees, mon enfant. Pense au grand Di Maggio.

— J'ai peur à la fois des Tigres de Detroit et des Indiens de Cleveland.

— Méfie-toi : tu vas bientôt avoir peur des Rouges de Cincinnati et des Bas-Blancs de Chicago.

— Tu potasses la question, hein? Et puis tu me racontes tout quand je reviens.

— Tu crois pas qu'on devrait acheter un billet de loterie qui se termine par un quatre-vingt-cinq? Demain, c'est le quatre-vingt-cinquième jour.

— C'est une idée, dit le gamin. Mais qu'est-ce que tu dirais du quatre-vingt-sept de ton fameux poisson?

— Ces choses-là n'arrivent pas deux fois. Crois-tu que tu pourras trouver un quatre-vingt-cinq?

— Je pourrais en commander un.

— Un dixième. Ça fait deux dollars et demi. A qui c'est-y qu'on va les emprunter?

— Bah! C'est pas dur. Je trouverai toujours bien deux dollars et demi.

— Moi aussi, peut-être. Mais j'essaie de pas emprunter. Tu commences par emprunter et bientôt te voilà mendiant.

— Couvre-toi bien, grand-père, dit le gamin. Oublie pas qu'on est en septembre.

— Le mois des grands poissons, dit le vieux. N'importe qui peut se faire pêcheur en mai.

— Allez, je m'occupe des sardines! » dit le gamin.

Quand le jeune garçon revint, le vieux

dormait dans son fauteuil et le soleil était
couché. Le jeune garçon enleva du lit la
vieille couverture militaire et la disposa
par-dessus le dossier du fauteuil sur les
épaules du vieux. C'étaient de curieuses
épaules, puissantes en dépit de la vieillesse;
le cou aussi conservait de la force : on en
voyait moins les stries dans cette posture
de sommeil qui maintenait la tête penchée
en avant. La chemise du vieux avait tellement de pièces qu'elle ressemblait à la
voile de sa barque; ces pièces avaient pris
en se fanant mille teintes variées. La tête,
elle, était très vieille. Ce visage aux yeux
fermés n'avait plus l'air vivant. Le journal
était étalé sur les genoux du vieux; le poids
de son bras le défendait contre la brise du
soir. Le vieux était pieds nus.

Le gamin le laissa à son somme et s'ab-
senta de nouveau. Quand il revint, le vieux
dormait toujours.

« Réveille-toi, grand-père », dit le gamin
en posant la main sur le genou du vieux.

Le vieux ouvrit les paupières et mit un bon moment à sortir des profondeurs de son rêve. Puis il sourit.

« Qu'est-ce que c'est que t'as là? demanda-t-il.

— Le dîner, dit le gamin. On va dîner.

— J'ai pas bien faim.

— Allez, viens manger. Tu peux pas aller pêcher si tu manges rien.

— Ça m'est déjà arrivé », dit le vieux en se levant et en repliant le journal. Il commença à plier aussi la couverture.

« Garde la couverture sur toi, dit le gamin. Tant que je serai vivant, t'iras pas à la pêche le ventre vide.

— Bon. Tâche de vivre longtemps et de prendre soin de toi, dit le vieil homme. Qu'est-ce que tu nous offres?

— Des haricots noirs avec du riz, des bananes frites et du ragoût. »

Le gamin avait été chercher tout cela à la *Terrasse* et le rapportait dans une gamelle. Les couteaux, fourchettes et cuillers

pour deux étaient dans sa poche, enveloppés de serviettes en papier.

« Qui c'est qui t'a donné tout ça?

— Martin le patron.

— Faudra que je le remercie.

— T'as pas besoin, dit le gamin. Je l'ai
déjà remercié.

— J'y donnerai les filets de dessous d'un
grand poisson, dit le vieux. Est-ce qu'il
nous a déjà donné des choses, comme aujourd'hui?

— Je crois.

— Alors, les filets de dessous, ça suffit
pas. Je lui donnerai davantage. Il est géné-
reux, cet homme-là!

— Y'a aussi deux bouteilles de bière.

— Moi, j'aime mieux la bière en boîte.

— Je sais bien, mais celle-là, elle est en
bouteille, c'est de la bière Hatuey; je lui
rapporterai les bouteilles vides.

— T'es bien gentil, dit le vieux. Alors,
c'est-y qu'on mange?

— Je te l'ai déjà proposé, dit le gamin

avec douceur. Je voulais pas ouvrir la gamelle avant que t'en aies envie, tu comprends.

— Ben je suis prêt maintenant, dit le
vieux. Fallait seulement le temps de me
laver. »

« De te laver où? » se demanda le gamin.
La fontaine publique était à deux rues de
là. « Faudra que je lui apporte de l'eau,
songea le gamin, et du savon, et une bonne
serviette. Je pense vraiment à rien. Faudra
lui trouver aussi une autre chemise et un
paletot pour l'hiver, et puis des chaussures,
et puis une autre couverture. »

« Il est fameux ton ragoût, dit le vieux.

— Alors, le base-ball? demanda le gamin.

— Dans le match de l'American League,
c'est les Yankees, je te l'avais-t-y pas dit? dit
le vieux, joyeusement.

— Aujourd'hui, ils ont perdu, dit le gamin.

— Ça veut rien dire. Le grand Di
Maggio, il a retrouvé sa forme.

— Y a d'autres joueurs dans l'équipe.

— C'est une affaire entendue. Mais c'est lui qui compte. Dans l'autre match entre Brooklyn et Philadelphie, moi je parie que c'est Brooklyn qui gagne. Je pense toujours à Dick Sisler. Dans le vieux Parc, il te réussissait de ces coups!...

— J'ai jamais vu quelqu'un lancer la balle comme ça, aussi loin.

— Tu te rappelles quand il venait à la *Terrasse?* Je l'aurais bien emmené à la pêche, moi, mais question de lui demander, j'ai pas osé! Et toi, pour lui dire, t'étais pas plus courageux que moi.

— Je sais. On a eu rudement tort. Peut-être qu'il serait venu avec nous. Tu te rends compte : un souvenir comme ça!

— Ce que j'aimerais emmener le grand Di Maggio à la pêche! dit le vieux. Son père, paraît que c'était un pêcheur aussi. Il était pauvre comme nous, si ça se trouve. Il comprendrait.

— Le père du grand Sisler, il a jamais

été pauvre, la preuve, c'est qu'il jouait déjà dans les grands matches quand il avait mon âge, le père.

— Quand j'avais ton âge, moi, je grimpais au mât d'un bateau à voiles qui faisait les côtes d'Afrique, et j'ai vu des lions, le soir sur les plages.

— Je sais. Tu m'as raconté.

— On parle-t'y de l'Afrique ou du base-ball?

— Plutôt du base-ball, dit le gamin. Dis-moi, et le grand John J. McGraw? (L'enfant disait *Jota* pour *j*.)

— Lui aussi il venait souvent à la *Terrasse* dans le temps. Mais il était grossier et bagarreur, avec ça qu'on pouvait plus le tenir quand il avait bu. Il s'intéressait aux courses au moins autant qu'au base-ball. En tout cas, il avait toujours les poches pleines de listes de chevaux et il disait souvent des noms de chevaux au téléphone.

— C'était un grand organisateur, dit le

gamin. Mon père il pense que c'était le plus grand de tous.

— C'est parce qu'il venait ici plus souvent que les autres, dit le vieux. Si Durocher avait continué à venir ici tous les ans, ton père aurait trouvé que c'était lui le plus grand organisateur.

— A ton avis, qui est le plus grand organisateur? Luque ou Mike Gonzalez?

— Je crois qu'ils se valent.

— Et le meilleur pêcheur, c'est toi.

— Non. Y'en a de meilleurs.

— *Qué va*, dit le gamin. Y a beaucoup de bons pêcheurs et puis y a des très grands pêcheurs. Mais y en a qu'un comme toi.

— Merci, petit. Tu me fais bien plaisir. J'espère que je ne rencontrerai jamais un poisson tellement costaud qu'il te fasse mentir.

— Si t'es aussi costaud que tu le dis, ce poisson-là, il existe pas.

— Peut-être que je suis pas aussi cos-

taud que ça, dit le vieux. Mais je connais
des tas de trucs et je suis têtu.

— Tu devrais te coucher maintenant
pour être d'attaque demain. Je vais rap-
porter tout ça à la *Terrasse*.

— Eh bien, alors, bonsoir. Je te réveillerai demain matin.

— C'est toi qu'es mon réveille-matin,
dit le gamin.

— Moi, c'est mon âge qu'est mon réveille-matin, dit le vieux. Pourquoi que les
vieux se réveillent tôt? C'est-y pour avoir
des jours plus longs?

— Je sais pas, dit le gamin. Tout ce que
je sais, c'est qu'à mon âge, à moi, on dort
tard et qu'on a du mal à se réveiller.

— Je me souviens encore de ce temps-
là, dit le vieux. Je te réveillerai bien à
l'heure.

— J'aime pas quand c'est lui qui me
réveille. Ça me donne l'impression d'être
son inférieur.

— Je sais.

— Dors bien, grand-père. »

L'enfant s'en alla. Ils avaient dîné sans lumière. Le vieux enleva son pantalon et se coucha dans l'obscurité. Il roula le pantalon en boule, le bourra de journaux et s'en fit un oreiller. Il s'entoura de la couverture et s'allongea sur d'autres vieux journaux qui couvraient le sommier du lit.

Bientôt endormi, il rêva de l'Afrique de sa jeunesse, des longues plages dorées, des plages éclatantes, si éclatantes qu'elles font mal aux yeux, des caps altiers, des grandes montagnes brunes. Toutes ses nuits, il les passait sur cette côte africaine; le mugissement des vagues emplissait ses rêves, et il voyait les pirogues des nègres courir sur les brisants. L'odeur de goudron et d'étoupe que l'on sent sur les ponts de bateaux parfumait son sommeil. A l'aurore, c'est l'odeur même de l'Afrique que la brise de terre lui apportait.

Généralement, quand il sentait la brise de terre, il s'éveillait, s'habillait et allait secouer le gamin. Mais cette nuit-là, l'odeur de la brise de terre vint très tôt; trop tôt, pensa-t-il au milieu de son rêve. Il continua à dormir pour voir les blancs pics des Iles surgir de la mer. Il vit ensuite les ports et les rades des îles Canaries.

Il ne rêvait plus jamais de tempête, ni de femmes, ni de grands événements, ni de poissons énormes, ni de bagarres, ni d'épreuves de force, ni même de son épouse. Il ne rêvait que de paysages et de lions au bord de la mer. Les lions jouaient comme des chats dans le crépuscule, et il les aimait comme il aimait le gamin. Jamais il ne rêvait du gamin. Il s'éveilla, regarda la lune par la porte ouverte, puis déroula son pantalon et l'enfila. Dehors, il urina contre la cabane et prit la route qui montait pour aller réveiller le gamin. Il frissonnait dans le froid matinal. Mais il savait que ces frissons le réchaufferaient et qu'il serait bientôt penché sur ses rames.

La porte de la maison où habitait le ga-

min n'était pas fermée à clef. Il l'ouvrit
et entra silencieusement sur ses pieds nus.
Le gamin dormait dans un petit lit qui se
trouvait dans le vestibule. Le vieux l'aperçut nettement à la clarté de la lune pâlis-
sante. Il le prit doucement par un pied et
tint ce pied en l'air. Le gamin s'éveilla, se
retourna et regarda le vieux qui fit un signe de tête; le gamin attrapa son pantalon
sur une chaise et le passa sans se lever.

Le vieux sortit de la maison et le gamin
sortit derrière lui. Il était encore tout endormi. Le vieux lui entoura les épaules de
son bras en disant :

« Ça me fait chagrin de te réveiller.

— *Qué va,* dit le gamin. Faut bien sortir du lit quand on est un homme. »

Ils descendirent jusqu'à la cabane du
vieux. Tout le long du chemin des gens se
mouvaient, pieds nus, dans l'obscurité, les
mâts de leurs bateaux sur les épaules.

A la cabane, ils prirent des lignes embo-
binées dans le panier, le harpon et la gaffe.

Le vieux chargea sur son épaule le mât entouré de la voile.

« Tu veux du café? demanda le gamin.

— Plus tard. Faut d'abord gréer le bateau. »

Ils burent leur café dans des boîtes de conserves qu'on leur servit dans un mastroquet pour pêcheurs qui ouvrait tôt.

« As-tu bien dormi, grand-père? » demanda le gamin. Il avait du mal à se dégager de son sommeil, il commençait à peine à se réveiller.

« Très bien, Manolin, répondit le vieux. J'ai très confiance aujourd'hui.

— Moi aussi, dit le gamin. Bon; maintenant faut que j'aille chercher tes sardines et les miennes et puis tes appâts frais. Chez nous le patron apporte les agrès lui-même. Personne a le droit de toucher à rien.

— Chacun sa manière, dit le vieux. Moi, tu n'avais pas cinq ans, je te laissais porter n'importe quoi.

— Je sais, dit le gamin. Je reviens tout

de suite. Prends encore un café. Ici, ils nous font crédit. »

Pieds nus sur les rochers de corail, il se dirigea vers la glacière municipale où l'on gardait les appâts.

Le vieux but son café à petits coups. C'était tout ce qu'il prendrait jusqu'au soir et il savait qu'il en avait besoin. Depuis longtemps déjà manger l'ennuyait; il n'emportait jamais de casse-croûte. Il avait une bouteille d'eau à l'avant de la barque : cela suffisait pour toute la journée.

Le gamin revint avec les sardines et les deux appâts enveloppés dans du papier de journal. Ils s'engagèrent dans le sentier qui descendait jusqu'à la barque, enfonçant leurs pieds dans le sable caillouteux, puis ils soulevèrent la barque et la firent glisser dans l'eau.

« Bonne chance, grand-père.

— Bonne chance à toi », dit le vieux.

Il enfila dans les tolets les garnitures de corde des rames et, se penchant en avant

pour faire levier sur les pales plongées dans
l'eau, il commença à ramer et gagna dans
le noir la sortie du port. Il y avait d'autres
barques, venues d'autres baies, qui se diri-
geaient de même vers le large. Le vieux
entendait le bruit des avirons qui frap-
paient et repoussaient l'eau, toutefois il ne
distinguait rien car la lune était descendue
derrière les collines.

Parfois on entendait parler dans un bateau. Mais la plupart des embarcations
étaient silencieuses, à part le bruit des rames.

Passées les limites du port, on se dispersa
et chacun se dirigea vers le coin d'océan
où il espérait trouver du poisson. Le vieux
savait qu'il irait très loin; il laissait derrière lui le parfum de la terre; chaque
coup de rame l'enfonçait dans l'odeur ma-
tinale et pure de l'océan. Dans l'eau, il
voyait les algues phosphorescentes du Gulf-
Stream : il passait au-dessus de cette région
marine que les pêcheurs appellent le Grand

Puits, à cause d'une brusque dépression de quinze cents mètres, où le poisson pullule, attiré par les tourbillons que produit le choc du courant contre les murailles abruptes du fond de la mer. Il y avait des bancs de crevettes et de sardines, parfois même des colonies de seiches dans les trous les plus profonds; la nuit, tout cela montait à la surface et servait de nourriture aux poissons errants.

Dans l'obscurité le vieux devinait l'aube. Il entendait en ramant les vibrations des poissons volants qui jaillissaient de l'eau, le sifflement de leurs ailes raides quand ils s'élançaient dans la nuit. Il aimait beaucoup les poissons volants; c'était, pour ainsi dire, ses seuls amis sur l'océan. Les oiseaux lui faisaient pitié, les hirondelles de mer surtout, si délicates dans leur sombre plumage, qui volent et guettent sans trêve, et presque toujours en vain. Les oiseaux, ils ont la vie plus dure que nous autres, pensait-il, à part les pies voleuses et les

gros rapaces. En voilà une idée de faire des
petites bêtes mignonnes, fragiles, comme
des hirondelles de mer, quand l'océan c'est
tellement brutal? C'est beau l'océan, c'est
gentil, mais ça peut devenir brutal, bougrement brutal en un clin d'œil. Ces petits
oiseaux-là qui volent, qui plongent, qui
chassent avec leurs petites voix tristes, c'est
trop délicat pour l'océan.

Il appelait l'océan *la mar,* qui est le nom
que les gens lui donnent en espagnol quand
ils l'aiment. On le couvre aussi d'injures
parfois, mais cela est toujours mis au fé-
minin, comme s'il s'agissait d'une femme.
Quelques pêcheurs, parmi les plus jeunes,
ceux qui emploient des bouées en guise de
flotteurs pour leurs lignes et qui ont des
bateaux à moteurs, achetés à l'époque où
les foies de requins se vendaient très cher,
parlent de l'océan en disant *el mar,* qui est
masculin. Ils en font un adversaire, un
lieu, même un ennemi. Mais pour le vieux,
l'océan c'était toujours *la mar,* quelque

chose qui dispense ou refuse de grandes faveurs; et si *la mar* se conduit comme une folle, ou comme une mégère, c'est parce qu'elle ne peut pas faire autrement : la lune la tourneboule comme une femme.

Il ramait toujours. Cela ne lui demandait aucun effort parce qu'il gardait bien sa vitesse et parce que la surface de l'océan était lisse, sauf quelques rides produites par le courant de temps à autre. Le courant faisait le tiers de la besogne. Quand le jour pointa, le vieux avait parcouru plus de chemin qu'il ne l'espérait.

« J'ai travaillé les grands fonds pendant une semaine et j'ai rien attrapé, songeait-il. Aujourd'hui je vas travailler du côté des bancs de bonites et d'albicores. Peut-être bien que j'en dénicherai un grand par là! »

Avant qu'il fît tout à fait jour, il avait posé ses appâts. Le courant le portait. Il avait laissé filer un des appâts à quarante toises de profondeur; le second était à soixante-dix-sept toises; le troisième et le qua-

trième se promenaient au fond de l'eau
bleue à cent et cent vingt-cinq toises. Chaque appât était suspendu la tête en bas, le
corps de l'hameçon à l'intérieur du pois-
son-amorce, bien attaché, solidement cousu,
les parties saillantes, courbe et pointe, re-
couvertes de sardines fraîches. Les sardines,
enfilées à travers les deux yeux, formaient
une sorte de guirlande qui recouvrait
l'acier. Pas un millimètre d'hameçon qui
ne fût, pour un gros poisson, d'une odeur
agréable et d'un goût appétissant.

Le gamin lui avait donné deux de ces
petits thons qu'on appelle albicores. Le
vieux les avait attachés aux deux lignes de
fond, qu'ils tendaient comme des plombs;
aux deux autres il avait mis un gros *runner*
bleu et un brocheton jaune qui avaient
déjà servi, mais qui étaient encore en fort
bon état. De toute façon, les exquises sardines étaient là pour leur donner du bouquet et de l'attrait. Chaque ligne, de
l'épaisseur d'un gros crayon, était nouée

autour d'une légère badine en bois vert;
le moindre choc, la moindre touche sur
l'appât faisait plonger la badine. Le vieux
tenait en réserve deux rouleaux de ligne
de quarante toises chacun, qui pouvaient
s'ajouter en cas de besoin aux lignes de
secours, si bien que, pour un poisson, on
avait plus de trois cents toises à laisser
filer.

Pour le moment l'homme surveillait la
position des trois badines le long de la
barque et ramait doucement afin de maintenir les lignes bien verticales et tendues
jusqu'à leurs profondeurs respectives. Il faisait tout à fait jour maintenant; d'une minute à l'autre, le soleil allait apparaître.

Il émergea des flots et le vieux aperçut les
autres barques, au ras de l'eau, pas bien
loin de la côte, posées çà et là sur la tranche du courant. Puis le soleil prit de la
force, ses rayons incendièrent la mer;
quand il se dégagea tout à fait de l'horizon,
sa réflexion sur le miroir liquide frappa

l'homme en plein dans les yeux; cela lui fit
très mal, et il continua à ramer en détour-
nant la tête. Du regard, il suivait ses lignes
qui plongeaient tout droit dans les sombres
abîmes aquatiques. Il savait les maintenir
plus droites que quiconque; à chaque ni-
veau, dans les ténèbres du courant, il y
avait un appât à l'endroit exact qu'il avait
choisi. Les autres pêcheurs laissaient leurs
appâts dériver dans le courant, et faisaient
sur leur emplacement des erreurs de quarante toises.

« Pourtant, pensait le vieux, je les main-
tiens à la profondeur qu'il faut. Mais voilà,
j'ai plus jamais de veine! Et qui sait? Aujourd'hui peut-être... Tout recommence
tous les jours. C'est très bien d'avoir de la
veine, mais j'aime encore mieux faire ce
qu'il faut. Alors, quand la veine arrive, on
est fin prêt. »

Le soleil montait depuis deux heures et
le vieux n'avait plus aussi mal aux yeux
quand il regardait vers le levant. Trois

barques seulement restaient en vue; elles paraissaient très basses sur l'eau, très proches du rivage.

« Ça été comme ça toute ma vie, le soleil me fait mal aux yeux le matin, pensait le vieux. N'empêche qu'ils sont encore solides! Le soir je peux le regarder en face, le soleil, et je vois même pas de taches noires. Et il est plus fort à cette heure-là! Mais le matin ça fait bougrement mal. »

En face de lui un aigle de mer aux longues ailes noires traçait des cercles dans le ciel. L'oiseau fonça brusquement, porté de biais sur ses ailes en triangle, puis recommença à tourner en rond.

« Il a fini de chercher, dit le vieux à haute voix. Il a repéré quelque chose. »

Avec une régulière lenteur, il rama vers l'endroit au-dessus duquel l'oiseau décrivait ses ronds. Il ne se hâtait pas; il prenait soin de maintenir ses lignes verticales et tendues; toutefois il allait un peu plus vite que le courant; quoiqu'il continuât à

pêcher selon les règles, son allure était plus
rapide que s'il n'y avait pas eu d'oiseau.

L'aigle s'éleva dans l'air, puis recommença à planer et à tourner. Brusquement
il fondit; le vieux aperçut des poissons
volants qui jaillissaient hors de l'eau et
jouaient désespérément des ailes à la surface.

« Des dorades! dit le vieux à haute voix,
et des grosses! »

Il amena ses rames et prit une petite
ligne rangée sous l'avant. Elle avait une
base métallique et un hameçon de grosseur
moyenne, auquel il accrocha une sardine.
Il la laissa filer par-dessus bord, puis la fixa
à une des chevilles de l'arrière. Ensuite, il
amorça une autre ligne à l'avant, mais la
laissa lovée dans l'ombre, sous le petit
appontement. L'oiseau noir aux longues
ailes rasait maintenant presque l'eau. Le
vieux, sans le quitter des yeux, recommença
à ramer.

L'oiseau, oblique, fondit de nouveau sur

mis à ressembler à des montagnes; on ne
voyait plus de la terre qu'une longue ligne
verte se détachant sur des collines bleutées.
L'eau était devenue d'un bleu sombre, si
sombre qu'elle paraissait violette. Le vieux
apercevait des taches rouges de plancton
au fond de cette obscurité où le soleil mettait des clartés étranges. Les lignes plongeaient tout droit et se perdaient dans les
profondeurs. Le plancton le réjouit : cela
signifiait abondance de poisson. Le soleil
était assez haut et ces clartés étranges dans
la mer présageaient du beau temps, de
même que la forme des nuages au-dessus
de la côte. Cependant l'oiseau était devenu
presque invisible et rien ne se montrait à
la surface, si ce n'est quelques bouquets
d'herbe des Sargasses, d'un jaune décoloré,
et le sac rubescent, gélatineux, irisé d'une
méduse qui flottait tout près du bateau.
Elle se mit de flanc, puis se redressa. Elle
flottait aussi gaiement qu'une bulle de savon. Ses filaments poupres, longs d'un

mètre, la suivaient, semblables à quelque
traîne perfide.

« *Agua mala,* dit le vieux. Putain, va! »
Sans lâcher ses avirons, il se pencha légèrement pour observer de petits poissons qui
nageaient sous l'ombre du mollusque à la
dérive. Ils étaient du même rouge que les
filaments onduleux, entre lesquels ils cir-
culaient sans danger. Le poison de la méduse n'affecte que l'homme. Qu'un fila-
ment se trouvât arraché par une ligne, et
tombât, pourpre et gluant, sur la main ou
le bras du vieux, de vilaines cloques et des
plaies se formaient aussitôt. La brûlure de
l'*agua mala* est aussi douloureuse qu'un
coup de fouet.

Les méduses irisées étaient charmantes.
Mais c'étaient les choses les plus traîtresses
de la mer et le vieux était content quand
il voyait les grosses tortues les dévorer. Dès
qu'elles les apercevaient, les tortues les
attaquaient de front en fermant les yeux
afin d'être protégées entièrement, puis les

gobaient, filaments et tout. Le vieux ado-
rait voir les tortues manger les méduses. Il
prenait de même grand plaisir à les écra-
ser, sur la plage après la tempête, à entendre leur éclatement quand il posait sur
elles ses pieds dont la plante était dure
comme de la corne.

Il aimait particulièrement les tortues
vertes et les tortues à bec de faucon, si
élégantes, si rapides, et d'un tel prix! En
revanche il n'avait qu'un amical mépris
pour ces idiotes de tortues « lourdaudes » à
l'armure jaune, qui s'accouplent dans les
postures les plus bizarres et qui avalent si
gaillardement les méduses en fermant les
yeux.

Bien qu'il eût pêché la tortue pendant
plusieurs années, il n'était pas insensible à
la condition de cet animal. Il plaignait toutes les tortues, même les grosses « à dos en
coffre » qui avaient la taille de sa barque
et pesaient une demi-tonne. Les gens n'ont
pas de pitié pour les tortues, sous prétexte

qu'un cœur de tortue continue à battre des heures après qu'elle a été ouverte et vidée. Le vieux songeait : « J'ai un cœur tout pareil au cœur des tortues, et mes mains, mes pieds sont comme les leurs. » Il mangeait leurs œufs blancs pour se donner de la force. Il en mangeait pendant tout le mois de mai afin d'être fort en septembre et en octobre, quand vient vraiment le gros poisson.

De même il buvait chaque jour un verre d'huile de foie de requin. Il y en avait un bidon en permanence dans le hangar où la plupart des pêcheurs rangeaient leurs agrès. Cette huile était à leur disposition. Ils en trouvaient le goût abominable. Mais avaler ce breuvage était-il plus difficile que de se lever en pleine nuit, comme ils faisaient? En outre, c'était un excellent remède contre le rhume et la grippe. C'était aussi bon pour les yeux.

Le vieux scruta le ciel et vit l'oiseau qui recommençait à tourner en rond.

« Il a trouvé du poisson », dit-il à haute voix. Or, nul poisson volant ne fendait l'air et il n'y avait pas de menu fretin aux alentours. Mais tandis que le vieux guettait, il vit un thon de petite taille sauter, se retourner et piquer dans l'eau la tête la première. Le thon avait brillé comme de l'argent au soleil. Dès qu'il fut retombé un autre thon sauta, puis un autre encore et bientôt ce ne fut plus qu'une multitude de bonds désordonnés, de bouillonnements d'eau, de longues trajectoires vers l'appât. Les thons l'entouraient de toutes parts.

« Si ces bougres-là ne se pressent pas trop, je vas leur rentrer en plein dedans », pensa le vieux.

Les évolutions du banc de thons produisaient beaucoup d'écume; l'oiseau fondit soudain et plongea pour attraper le menu fretin qui, dans sa frayeur, cherchait refuge à la surface.

« C't oiseau-là, c'est un sacré atout », dit le vieux. Au même moment, la ligne de

l'avant se tendit sous son pied, qu'il avait
passé dans une boucle du fil. Il lâcha les
rames, attrapa la ligne et commença à la
tirer. A l'autre bout, un petit thon donnait
des secousses. A mesure que le vieux tirait,
les secousses augmentaient. Enfin, il aperçut dans l'eau le dos bleu et les flancs do-
rés du poisson, qu'il souleva par-dessus
bord et jeta dans le bateau. Dur et luisant
comme un obus, le thon atterrit à l'arrière,
en plein soleil. Il ouvrait d'immenses yeux
stupides, et martelait frénétiquement, de
sa queue mince et agile, le fond de la barque. Il étouffait. Par pitié, le vieux l'as-
somma et d'un coup de pied — la bête
était encore agitée de soubresauts — l'en-
voya dans un recoin d'ombre, sous la
poupe.

« Un albicore, dit-il tout haut. Ça fera un
appât épatant. Il fait bien ses neuf livres. »

A quelle époque au juste avait-il commencé à parler tout seul? Il ne s'en sou-
venait pas. Autrefois il chantait. Il chan-

tait la nuit, quand il prenait son quart au
gouvernail, sur les cotres de pêche ou les
bateaux à tortues. C'est probablement
quand le gamin l'avait quitté qu'il s'était
mis à parler tout seul. Mais il n'en était
pas bien sûr. Au temps où le gamin et lui
allaient à la pêche ensemble, ils ne se di-
saient que ce qui était nécessaire. Ils par-
laient la nuit ou bien quand ils étaient
pris par un grain. En mer, il ne faut dire
aucune parole inutile; le vieux en avait
toujours jugé ainsi et il observait le silence.
Mais à présent il donnait très souvent une
voix à ses pensées. Aussi bien, il n'y avait
plus personne qu'elles eussent pu ennuyer.

« Si les gens m'entendaient causer comme
ça tout seul, ils croiraient que je suis maboul, dit-il à haute voix. Mais du moment
que je suis pas maboul, ça m'est égal. Sans
compter que les riches, ils ont des T.S.F.
dans leurs bateaux pour leur tenir compagnie et pour leur raconter le base-ball.

« C'est pas le moment de s'occuper de

base-ball, songea-t-il. C'est le moment de
penser à une chose. Rien qu'une. La chose
pourquoi je suis né. Des fois qu'il y en
aurait un gros dans les environs de ce banc-
là? J'ai tout juste piqué un feignant d'albicore qui cherchait son manger. Ils se
cavalent au diable en vitesse. Tout ce qui
montre le museau à la surface aujourd'hui
fiche le camp au nord-est. L'heure y serait-
y pour quelque chose? Ou c'est-y le temps
qui change? »

Il ne distinguait plus la ligne verte du
rivage; seuls les sommets des collines
bleues se détachaient en blanc comme s'ils
étaient couverts de neige; les nuages qui
les couronnaient ressemblaient aussi à de
hautes montagnes neigeuses. La mer avait
pris une couleur foncée et la lumière découpait des prismes dans l'eau. Les taches
innombrables du plancton se dissolvaient
dans l'éclat du soleil à son zénith; le vieux
ne voyait plus que les irisations profondes
sous l'eau violette et ses lignes qui descen-

daient tout droit dans la mer. Il y avait
mille mètres de fond.

Les thons étaient redescendus assez loin
de la surface. Les pêcheurs appellent thons
tous les poissons de cette espèce; ils ne leur
donnent leur véritable nom que pour les
vendre ou les échanger contre des appâts.
Le soleil était brûlant. Le vieux le sentait
sur sa nuque. La sueur lui coulait le long
du dos tandis qu'il ramait.

« Je pourrais me laisser dériver, songeait-
il, et piquer un roupillon. Suffit d'enrouler
un bout de ligne autour de mon doigt de
pied pour que ça me réveille. Mais aujourd'hui c'est le quatre-vingt-cinquième
jour. Faut pas que je fasse de fantaisies. »

A ce moment précis, comme il surveillait ses lignes, une des badines vertes qui
servaient de flotteur piqua brusquement
du nez.

« Voilà! Voilà! dit-il, j'arrive! »

Il rentra ses rames sans heurter le bateau. Il se pencha vers la ligne et la prit

délicatement entre le pouce et l'index de
la main droite. Aucun poids, aucune tension. Il tenait la ligne légèrement. Cela
recommença. Cette fois quelque chose tirait, pas bien fort, mais le vieux sut exactement ce que c'était. A cent pieds en dessous, un espadon était en train de manger
les sardines qui recouvraient la pointe et
la saillie de l'hameçon à l'endroit où celui-
ci perçait la tête du petit thon.

Le vieux, tout en maintenant la ligne
délicatement, légèrement avec la main gauche, défit le nœud qui l'attachait à la badine : elle pourrait ainsi glisser entre ses
doigts sans que le poisson sentît la moindre
résistance.

« Vu la saison et loin comme on est, il
doit être bougrement gros! pensa-t-il. Allez!
mange, poisson! C'est pour toi que je l'ai
mis au frais, à six cents pieds de fond dans
l'eau froide.

« Vas-y, lance-toi encore un coup dans
le noir! Viens croquer mes sardines! »

Une secousse légère, puis une autre plus marquée : une des têtes de sardines était moins facile à arracher de l'hameçon... Rien.

« Allez, viens donc! dit le vieux tout haut. Viens-y voir encore une fois, mon gars! Sens-moi ça. C'est-y pas un régal? Mange des sardines tant que ça peut; après y aura le thon. Bien ferme, et froid, tu m'en diras des nouvelles. Aie pas peur, mon mignon. Mange! »

Il attendait, le fil entre le pouce et l'index, surveillant non seulement cette ligne-là, mais aussi les autres, car le gros poisson pouvait se déplacer. La même secousse légère se fit sentir à nouveau.

« Il y vient, dit le vieux tout haut. Mon Dieu, faites qu'il morde. »

Le gros poisson ne mordit pas. Il était parti. Le vieux ne sentait plus rien.

« C'est pas possible, dit-il. Le Bon Dieu permettrait pas qu'il soit parti. Il fait un tour et puis il va revenir. Peut-être qu'il a

déjà tâté de l'hameçon et qu'il s'en sou-
vient? »

De nouveau la secousse.

« Il faisait seulement un tour, dit le
vieux joyeusement, il va mordre. »

Le menu tiraillement le rendait tout
heureux, et puis voilà qu'il sentit tout à
coup quelque chose de dur, d'incroyable-
ment lourd : c'était le poisson qui pesait
de tout son poids. Il laissa la ligne filer,
filer, filer, tout en déroulant une des deux
lignes de réserve. Le fil descendait. Bien
qu'il glissât légèrement entre les doigts du
vieux, bien que la pression du pouce et de
l'index fût à peine sensible, il y avait toujours le poids formidable à l'autre bout.

« Pour un gros, c'est un gros, dit-il. Il
l'a en long dans la bouche et il fout le
camp avec. »

« Il va tourner. Il va l'avaler », pensa-
t-il. Il ne l'exprima point, parce que les
chants de triomphe, ça risque de tout faire
manquer. Il savait que c'était un poisson

énorme. Il l'imaginait nageant dans les ténèbres, le thon planté en travers de la
gueule. Soudain le poisson ne bougea plus,
mais son poids était là. Le poids devint
encore plus lourd et le vieux donna du fil.
Pendant un instant il serra la ligne plus
fort entre le pouce et l'index : le poids
s'alourdit d'autant. Cela s'enfonçait à la
verticale.

« Il l'a, dit-il. Faut maintenant qu'il
l'avale. Et qu'il l'avale bien. »

La ligne fila. Dans sa main gauche le
vieux saisit les deux bouts de lignes de secours et les noua à la boucle prévue à cet
effet sur une troisième ligne. De la sorte
il disposait de trois paquets de lignes de
quarante toises chacune, outre le paquet
qu'il utilisait en ce moment.

« Allez, manges-en encore un petit coup,
dit-il. Mange, mon gros! Manges-en jusqu'à
ce que la pointe de l'hameçon te rentre
dans le cœur et que t'en crèves! pensait-il.
Comme ça tu remontes sans faire d'histoi-

res et je te mets le harpon dans la viande.
Allons-y. T'es prêt, maintenant? T'es-t-y
resté assez longtemps à table? »

« Aïe donc! » s'écria-t-il en pompant vi-
goureusement des deux mains; il gagna
un mètre de ligne. Il balançait chaque bras
alternativement, aussi haut que possible,
pivotant sur lui-même et s'aidant de toute
la masse de son corps.

Il eut beau pomper tant et plus, rien
ne se produisit. Le poisson s'éloigna lentement et le vieux ne put le hisser d'un centi-
mètre. Sa ligne était solide et faite pour
les grosses prises. Cependant, elle était si
tendue contre son épaule que des goutte-
lettes en jaillissaient. Le filin émettait dans
l'eau une espèce de sifflement sourd; le
vieux halait toujours, s'arc-boutant contre
le banc et se penchant en arrière pour
mieux résister. Le bateau commença à se
déplacer doucement vers le nord-ouest.

Le poisson tirait sans trêve; on voyageait
lentement sur l'eau calme. Les autres ap-

pâts étaient toujours au bout de leurs lignes; il n'y avait qu'à les laisser.

« Je voudrais bien que le gosse soit là,
dit le vieux tout haut. Me voilà remorqué
par un poisson à présent et c'est moi la
bitte d'amarrage! Si j'amarre la ligne trop
près, il est foutu de la faire péter. Ce qu'il
faut, c'est se cramponner tant que ça peut
et donner du fil tant qu'il en demande.
Dieu merci, il va droit devant lui, il des-
cend pas.

« Qu'est-ce que je fais si il se met dans
la tête de descendre? Je me le demande.
Qu'est-ce que je fais si il coule et si il
crève? J'en sais rien. Tout ce que je sais,
c'est que je ferai quelque chose. Y a plein
de choses que je pourrai faire. »

Il maintenait la ligne contre son dos et
guettait l'inclinaison qu'elle gardait dans
l'eau; pendant ce temps-là le bateau voguait à bonne allure vers le nord-ouest.

« Ça, ça sera sa perte, pensa le vieux.
Il peut pas mener ce train-là à perpète. »

Quatre heures plus tard, le poisson nageait toujours, en plein vers le large, remorquant la barque, et le vieux s'arc-boutait toujours de toutes ses forces, la ligne en travers du dos.

« Je l'ai ferré à midi, dit-il. Et je sais toujours pas à quoi il ressemble. »

Quand il avait ferré le poisson, il avait repoussé son chapeau de paille en arrière et le bord de la calotte lui sciait le front. Il avait grand soif; il parvint à s'agenouiller sans ébranler la ligne et se glissa sous l'avant aussi loin qu'il put. D'une main il atteignit la bouteille d'eau, la déboucha et but quelques gorgées, puis s'accota. Le mât horizontal, entouré de la voile, lui fournit un siège; il s'efforça de ne penser à rien et de prendre sa fatigue en patience.

Il regarda derrière lui; on ne voyait plus la terre. « C'est pas ça qui me gêne, pensa-t-il. Pour revenir j'aurai toujours les lumières de La Havane. J'ai encore deux

heures jusqu'à ce que le soleil se couche.
Il remontera peut-être avant. Si il remonte
pas tout à l'heure, il remontera avec la
lune. Si il remonte pas avec la lune, il remontera demain matin. J'ai pas de crampes. Je suis costaud. C'est lui qui a l'hameçon dans le bec, pas moi. Mais, bon sang,
faut-il qu'il soit gros pour tirer comme ça!
Qu'est-ce qu'il le coince, le fer, avec ses
dents! Si seulement je pouvais le voir une
minute, histoire de savoir contre quoi je
me bats. »

La nuit passa, le poisson ne changea ni
son allure ni sa direction d'un pouce, du
moins c'est ce que le vieux constata d'après
la position des étoiles. Après le coucher du
soleil, l'air se mit à fraîchir; la sueur qui
couvrait le dos du vieux, ses bras, ses vieilles jambes, était glacée. Au cours de la journée il avait enlevé le sac qui bouchait le
seau aux appâts et l'avait étalé au soleil
pour qu'il séchât. Au crépuscule, il avait
attaché le sac autour de son cou, de telle

façon qu'il lui pendait dans le dos; avec
mille précautions, il le fit glisser sous la
ligne qui lui coupait les épaules. Cela cons-
tituait une sorte de tampon; de même il
avait réussi à appuyer sa poitrine contre
le rebord de l'appontement, ce qui rendait
sa position presque confortable. En fait,
c'était à peine moins douloureux qu'avant.
Mais par comparaison cela semblait
bon.

« Tant qu'il continuera comme ça, pensait-il, je pourrai rien faire pour lui, et il
pourra rien faire pour moi. »

A un certain moment, il se mit debout
et urina par-dessus bord; il en profita
pour examiner les étoiles et faire le point.
De ses épaules jusque dans l'eau, la ligne
n'était plus qu'un trait phosphorescent.
L'allure était moins rapide à présent, et le
halo lumineux de La Havane s'estompait,
ce qui indiqua au vieux que le courant
devait les porter vers l'est. « Que je perde
de vue les lumières de La Havane, ça veut

dire qu'on appuie vers l'est », songea-t-il.
Parce que, s'il avait continué à marcher
tout droit, le poisson, on aurait vu La Havane beaucoup plus longtemps. « Je me
demande ce que ça a donné, le base-ball
aujourd'hui dans les grands matches. Ça
serait épatant de pouvoir pêcher comme ça
avec une T.S.F. » Puis il se dit : « Pense
qu'à une chose : pense à ce que tu fais.
C'est pas le moment de faire l'idiot. »

Il prononça alors : « Je voudrais bien
que le gosse soit là. Il m'aiderait. Et puis
il verrait ça. »

« On devrait jamais rester seul quand on
est vieux, pensa-t-il. Mais c'est inévitable.
Surtout que j'oublie pas de manger le thon
avant qu'il se gâte! Ça me gardera mes
forces. Rappelle-toi, même si t'as pas faim,
faut que tu manges demain matin. Rappelle-toi », se répéta-t-il à lui-même. Pendant la nuit, deux marsouins s'approchè-
rent de la barque. Il entendit leurs cabrio-
les et leurs reniflements. Il pouvait dis-

comme un mâle, il tire comme un mâle :
il se défend, il s'affole pas. C'est-y qu'il
a une idée derrière la tête ou qu'il fait
n'importe quoi, comme moi? »

Il se souvint d'un couple de marlins
dont il avait attrapé la femelle. Les mâles
laissent toujours les femelles manger
d'abord. Quand cette femelle-là s'était sen-
tie ferrée, elle s'était débattue d'une manière si folle, si épouvantée, si désespérée,
qu'elle avait bientôt perdu ses forces. Tout
le temps de la lutte, le mâle était resté à
ses côtés, croisant et recroisant la ligne,
tournoyant en même temps qu'elle à la
surface. Il nageait si près que le vieux
craignait qu'il ne coupât la ligne avec sa
queue. La queue des marlins est coupante
comme une faux, d'ailleurs elle ressemble
à une faux par la taille et par la forme.
Le vieux avait amené la femelle à la gaffe
et l'avait assommée à coups de gourdin en
se cramponnant à son bec, qui était long
comme une épée et rugueux comme du

papier de verre; il lui avait assené sur la
tête des coups si violents que la peau en
était devenue grise comme le tain des
glaces; enfin, aidé du gamin, il l'avait
hissée par-dessus bord. Pendant tout ce
temps le mâle était resté à côté de la
barque. Soudain, alors que le vieux s'af-
fairait à dégager les lignes et préparait
le harpon, le mâle fit un bond prodigieux
hors de l'eau tout près de la barque, afin
de voir où était la femelle, puis offrant à
l'œil ses larges rayures mauves, déployant
ses grandes ailes couleur de lilas (autrement
dit ses nageoires pectorales), il retomba
dans la mer. Qu'il était beau! Qu'il était
fidèle! Le vieux n'avait jamais oublié cela.

« C'est la plus triste histoire de marlins que je connaisse, pensa le vieux. Le
gamin aussi ça l'avait secoué. On avait
honte. Aussi, on s'est dépêché de l'ouvrir
et de la découper, cette femelle. »

« Je voudrais que le gosse soit là »,
dit-il tout haut.

Il se cala contre les planches arrondies
de l'avant. La ligne était tendue contre son
épaule. Il sentait la force du grand poisson
qui l'emportait invinciblement Dieu sait
où, vers l'endroit qu'il avait choisi.

« Je l'ai pris en traître, pensa le vieux.
C'est à cause de mes pièges qu'il a été
obligé de choisir.

« Il avait choisi de rester dans les eaux
profondes, dans le noir, loin des hame-
çons, loin des traîtres. Et puis voilà que
moi j'ai choisi d'aller le chercher tout
là-bas dans le fond, plus loin que tous les
autres. Plus loin que tous les poissons du
monde. Maintenant lui et moi on est uni.
Depuis le milieu du jour on est accroché
ensemble. Et personne peut nous aider, ni
lui, ni moi.

« Peut-être que j'aurais mieux fait
de ne pas devenir pêcheur, songeait-il.
Mais qu'est-ce que j'aurais bien pu faire
d'autre? Faut surtout pas que j'oublie de
manger le petit thon dès qu'il fera jour! »

A l'aube, quelque chose mordit à l'un
des appâts qui se trouvaient derrière lui.
La badine verte se rompit et la ligne commença à filer. Dans l'obscurité, le vieux
tira son couteau de la gaine, et, faisant
porter toute la pesée du poisson sur son
épaule gauche, se pencha. Il coupa la ligne
en danger contre le bois du plat-bord. Il
sectionna aussi l'autre ligne, celle qui se
trouvait le plus près de lui et, toujours
dans l'obscurité, y rattacha les extrémités
libres des filins de secours. Il travaillait
très adroitement, d'une seule main. Tout
en prenant soin de faire des nœuds solides,
il maintenait les paquets de lignes avec son
pied. Grâce à cette opération, il se trouva
à la tête de six paquets de lignes de secours, à savoir quatre qui provenaient des
deux lignes principales qu'il avait sacri-
fiées et deux de la ligne que son poisson
avait prise; ils étaient tous reliés ensemble.

« Quand il fera jour, pensa-t-il, je tâche-
rai d'aller jusqu'à la ligne de quarante

cile, dans l'obscurité; tandis qu'il y travaillait, le poisson fit une embardée qui
précipita le vieux la tête la première : il
se fendit la joue au-dessous de l'œil. Une
rigole de sang descendit sur sa pommette,
mais se coagula et sécha avant d'arriver jusqu'au menton. Le vieux retourna à l'avant
et s'appuya contre le plat-bord. Il arrangea
le sac du mieux qu'il put et, avec grand
soin, déplaça la ligne de façon qu'elle coupât une autre partie de son échine; ses
épaules lui servant de cabestan, il arriva à
évaluer avec exactitude la force du poisson; il pouvait aussi laisser pendre sa main
dans l'eau, ce qui lui donnait une idée de
la vitesse de la barque.

« Je me demande pourquoi qu'il a fait
ce bond-là? pensa-t-il. Le fil métallique a
dû glisser sur c'te montagne qui lui sert
de dos. Pourtant son dos lui fait pas plus
mal que le mien. Serait-y grand comme
une maison, il peut tout de même pas tirer
cette barque jusqu'à l'année prochaine. A

présent je me suis débarrassé de tout ce qui pourrait me gêner, j'ai une bonne longueur de fil en réserve; qu'est-ce qu'on peut demander de plus? »

« Poisson, dit-il doucement à voix haute, poisson, je resterai avec toi jusqu'à ce que je sois mort. »

« Lui aussi, il restera avec moi, probable », pensa-t-il. Il attendit que le jour parût. C'était l'aube. Il faisait froid. Le vieux se rencogna contre le bois pour avoir un peu de chaleur. « Je tiendrai bien aussi longtemps que lui », pensa-t-il. Au jour naissant il vit sa ligne qui s'allongeait obliquement vers le fond de l'eau. Le bateau voguait toujours. Le premier rayon de soleil accrocha l'épaule gauche du vieux.

« Il a mis le cap au nord, dit le vieux. Le courant nous aura poussés loin à l'est, pensa-t-il. Si seulement il pouvait faire un tête-à-queue dans le sens du courant! Ça voudrait dire qu'il commence à se fatiguer. »

Le soleil monta dans le ciel. Le poisson ne donnait aucun signe de fatigue.
Une seule chose consolante : l'inclinaison
de la ligne, qui indiquait que le poisson
nageait à une moins grande profondeur.
Cela ne signifiait pas nécessairement qu'il
sauterait, mais le laissait prévoir.

« Mon Dieu, faites qu'il saute, dit le
vieux. J'ai assez de ligne pour m'en arranger. »

« Des fois que je tende un peu plus?
pensa-t-il. Juste assez pour lui faire du
mal? Ça le ferait peut-être sauter. Maintenant qu'il fait jour, mon Dieu, faites
qu'il saute. Comme ça il remplira d'air les
sacs qu'il a sous le dos au lieu de s'en
aller crever au fond de la flotte. »

Il essaya d'augmenter la tension de la
ligne; mais celle-ci, depuis qu'il avait ferré
le poisson, était tendue à se rompre;
quand il se pencha en arrière pour tirer,
il éprouva une telle résistance qu'il comprit qu'il était impossible d'obtenir davan-

tage. « Pas de secousse surtout, pensa-t-il.
A chaque secousse, l'hameçon y arrache la
gueule un peu plus, et il risque de l'envoyer promener au moment où il sautera.
Tout de même, depuis qu'y a du soleil ça
va mieux. Pour une fois, j'ai la veine de
pas l'avoir dans l'œil. »

Des herbes jaunes s'étaient accrochées
à la ligne, mais le vieux savait que c'était
autant de poids supplémentaire que le
poisson avait à remorquer, et il en était
ravi. C'était cette herbe jaune du Gulf-
Stream qui avait produit tant de phosphorescence au cours de la nuit.

« Poisson, dit-il, je t'aime bien. Et je
te respecte. Je te respecte beaucoup. Mais
j'aurai ta peau avant la fin de la journée.
Que je dis », pensa-t-il.

Un oiseau de petite taille, venant du
nord, se dirigea vers la barque. C'était une
sorte de fauvette qui volait très bas. Le
vieux se rendit compte que la pauvrette
était à bout de forces.

L'oiseau s'abattit à l'arrière de la barque. Après quelque repos il se mit à voleter autour de la tête du vieux, puis se posa sur la ligne où il se sentait plus à l'aise.

« Quel âge que t'as? demanda le vieil homme à l'oiseau. C'est-y ta première traversée? »

Pendant qu'il parlait, l'oiseau le regardait. Il était si las, le petit oiseau, qu'il ne prit même pas la peine de tâter son perchoir; au moment où ses pattes minces s'agrippèrent au fil, il tituba.

« C'est du solide, lui dit le vieux. Trop solide même, que je dirais. Tu devrais pas être fatigué comme ça après une nuit de rien du tout, sans vent. Alors, quoi? Y a plus d'oiseaux? »

« Si, y a les éperviers, pensa-t-il. Les éperviers qui vont au large pour les attendre. » Mais il ne parla pas des éperviers à la fauvette. Celle-ci, de toute façon, ne l'aurait pas compris, et elle avait bien le temps d'entendre parler des éperviers.

« Repose-toi un bon coup, mon petit,
dit-il. Et puis tâche de gagner la terre; tu
as ta chance. Tout le monde a sa chance :
les hommes, les oiseaux, les poissons. » Son
dos était raide par suite du froid de la
nuit. Il en souffrait terriblement, et cette
petite conversation lui redonnait du cœur.

« Reste chez moi, si tu veux, p'tit
oiseau, dit-il. Je voudrais bien pouvoir
hisser la voile et te ramener à terre dans
cette bonne brise qui se lève. Mais j'ai
du monde. »

Comme il discourait de la sorte, le poisson fit une brusque embardée qui précipita le vieil homme à plat ventre sur
l'appontement et l'aurait emporté par-
dessus bord s'il ne s'était cramponné et
n'avait donné un peu de ligne.

La secousse avait fait envoler l'oiseau.
Le vieux ne l'avait même pas vu partir.
Il palpa la ligne soigneusement, et s'aperçut que sa main droite était tout ensan-
glantée.

« Ça veut dire que quelque chose l'a
blessée », dit-il. Il tira sur la ligne pour
voir s'il ne pouvait pas faire tourner le
poisson. Mais dès qu'il eut atteint l'ex-
trême limite de la tension, il n'insista pas
et s'arc-bouta pour résister à la violence
de la propulsion.

« Tu commences à en avoir ta claque,
poisson, dit-il. Et moi alors, bon sang,
qu'est-ce que je dirais! »

Du regard, il chercha l'oiseau. Il aimait
bien sa société. Mais l'oiseau était parti.

« T'es pas resté bien longtemps, pensa
l'homme. T'as eu tort, parce que, d'ici
à la côte, c'est le plus dur. Comment que
j'ai fait mon compte pour me laisser es-
quinter la main comme ça? Parole, alors,
je deviens idiot! Ou alors, c'est que je
regardais ce petit oiseau et que je pensais
à lui. A partir de maintenant, je penserai
plus qu'à mon travail, et puis faudra que
je mange le thon pour pas tomber en fai-
blesse. »

« Si seulement le gosse était là, et si seulement j'avais un peu de sel! » dit-il tout haut.

Il transféra le poids de la ligne sur son épaule gauche, et s'agenouilla avec mille précautions. Il se lava la main dans l'océan et la tint sous l'eau pendant une bonne minute. D'après le glissement de l'eau contre sa peau, le vieux supputa la vitesse de la barque. Sa main soulevait un petit sillage sanglant.

« Il va bougrement moins vite », dit-il.

Il aurait bien aimé laisser sa main tremper plus longtemps, mais il craignait que le poisson ne fît un nouveau soubresaut; il se releva donc et, tout en s'efforçant de garder l'équilibre, tint sa main tournée vers le soleil. Ce n'était qu'une frottée de ligne qui avait arraché la chair. Toutefois l'entaille affectait la partie la plus utile de la main. Le vieux savait qu'il aurait largement besoin de ses deux mains jusqu'à ce que tout cela fût fini; une

main endommagée avant même d'avoir
commencé, c'était embêtant.

« Allons, dit-il, quand la main fut
sèche. Faut que je mange le petit thon. Je
peux l'atteindre avec la gaffe, et le manger
ici, tranquille. »

Il se mit à genoux et s'aidant de la
gaffe atteignit le thon sous la poupe. Il
l'amena jusqu'à lui, en prenant bien soin
de ne pas bousculer les paquets de lignes;
faisant passer de nouveau la ligne sur son
épaule gauche, s'appuyant sur son bras et
sa main libres, il dégagea le thon du cro-
chet et rangea la gaffe dans son coin.
Ensuite il posa un genou sur l'animal
et se mit en devoir de le découper de
la tête à la queue, dans le sens de la longueur.

Ces tranches de chair rouge sombre,
qu'il levait, avaient une forme de fuseau;
elles allaient de l'arête dorsale jusqu'au
bord du ventre. Le vieux en découpa de
la sorte six, qu'il étala sur le plat-bord de

l'avant; il essuya ensuite son couteau sur
son pantalon, puis soulevant l'arête du
bonito par la queue, il la jeta à la mer.

« Je pourrai jamais en manger une
entière », dit-il en plantant son couteau
dans l'une des tranches. Le grand poisson
tirait sans faiblir sur la ligne et le vieux
avait des crampes dans la main gauche. Il
considéra cette main crispée sur la corde
épaisse d'un air dégoûté.

« Je te fais mes compliments, dit-il à
la main. Offre-toi des crampes, vas-y! Non
mais regardez-moi ça : on dirait-y pas une
patte de crabe?

« Allez, mon vieux, ajouta-t-il en re-
gardant l'eau sombre pour voir comment
la ligne s'y enfonçait, faut le manger ce
thon-là, ça te décrispera la main. C'est pas
sa faute, à la main; et ça fait un bout de
temps que le poisson me trimbale. Il peut
me trimbaler comme ça indéfiniment.
Mange ton *bonito* et grouille-toi. »

Il piqua un morceau de thon, le porta

à la bouche et le mastiqua lentement. Ce n'était pas mauvais.

« Mâche bien, pensait-il; tires-en tout le jus. C'est certain qu'avec un peu de sel et du citron, ça aurait meilleur goût.

« Et comment que ça va-t-y, toi, la main? demanda-t-il à la main douloureuse qui était presque aussi raide que celle d'un mort. J'en mangerai un peu plus, exprès pour toi, de ce *bonito*. »

Il mangea l'autre moitié du morceau. Il mastiqua consciencieusement, puis cracha la peau.

« Comment que tu vas, la main? Ou alors c'est-y encore trop tôt pour savoir? »

Il prit une autre tranche.

« Le *bonito,* c'est un poisson solide, et qu'a du sang, pensa-t-il. J'ai eu de la veine d'attraper ça au lieu d'une dorade. La dorade, c'est trop sucré. Celui-là, il est à peine sucré. Il a beau être mort, on dirait qu'il a gardé toute sa force.

« Y a qu'une chose qui compte, par le

fait, c'est que je mange, pensa-t-il. Si seulement j'avais un peu de sel. Et le soleil? Ça va-t-y sécher ou pourrir les morceaux qui restent? On ne sait jamais. J'ai plus faim mais je ferais mieux de tout manger. La bête, là, en bas, pour le moment elle dit rien. Je vais tout manger. Comme ça je serai paré. »

« Courage, main, dit-il, c'est pour toi que je mange. »

« J'aimerais bien lui donner à manger, au poisson, pensa-t-il. A mon frère le poisson. Mais faut que je le tue et que je garde mes forces pour ça. » Lentement et consciencieusement il mangea toutes les tranches en forme de fuseau.

Il se redressa et s'essuya les mains à son pantalon.

« A présent, dit-il, tu peux lâcher la corde, main. Je vas me débrouiller avec la grosse bête rien que de la main droite, jusqu'à ce que t'aies fini de faire l'imbécile. » Il posa son pied sur la lourde ligne qu'avait tenue la main gauche et fit levier de tout son corps pour alléger le poids qui lui sciait le dos.

« Mon Dieu, faites que c'te crampe foute le camp, dit-il. Vous comprenez, je ne sais pas ce qu'il va faire, ce grand poisson-là, maintenant. Pourtant il a l'air tranquille, pensa-t-il; il suit sa petite idée. Mais qu'est-ce que c'est, son idée? Et mon idée, à moi, qu'est-ce que c'est? C'est d'inventer quelque chose d'après son idée à lui, parce que c'est lui qui commande, grand comme il est. Si il se décide à sauter, j'ai une chance de l'estourbir. Mais voilà, il ne veut pas quitter le fond. Alors faut que je reste avec lui dans le fond. »

Il frotta sa main crispée contre le pantalon et tenta de remuer les doigts. Mais la main resta fermée. « Peut-être qu'elle s'ouvrira au soleil, pensa-t-il. Peut-être qu'elle s'ouvrira quand j'aurai digéré le p'tit *bonito* tout cru. Bah! si jamais j'en ai besoin, je saurai bien l'ouvrir quand

même. Mais tout de suite, faut pas l'ouvrir
de force. Elle s'ouvrira toute seule; elle se
remettra en marche quand elle voudra.
Elle en a vu de rudes, malgré tout, cette
nuit, quand il a fallu détortiller toutes
ces lignes et puis les nouer. »

Il embrassa la mer d'un regard et se
rendit compte de l'infinie solitude où il
se trouvait. Toutefois il continuait à apercevoir des prismes dans les profondeurs
ténébreuses. La ligne s'étirait à la proue;
d'étranges ondulations parcouraient l'eau
calme. Les nuages se portaient à la ren-
contre des alizés. En avant de la barque,
un vol de canards sauvages se découpait
contre le ciel; il disparut, puis reparut, et
le vieux sut que nul n'est jamais complètement seul en mer.

Il se souvint de l'angoisse qui s'empare
dans leur petite barque de certains pêcheurs, à l'idée de perdre la terre de vue.
Ils n'avaient pas tort, car il y a des saisons
où le gros temps fond sur vous sans crier

gare. Mais on avait passé ces saisons-là.
On était à présent dans la saison des
ouragans; quand il n'y a pas d'ouragan en train, c'est le plus beau temps de
l'année.

Un ouragan, cela se flaire de loin. Si
l'on est en mer, on peut en observer les
signes dans le ciel plusieurs jours à
l'avance. « Les gens de la terre ne com-
prennent rien au ciel, pensait le vieux; ils
le regardent pas comme il faut. Sans
compter que les nuages ça n'a pas la même
forme vus de la terre ferme. En tout cas,
y a pas d'ouragan en route pour le quart
d'heure. »

Il considéra le firmament, où de blancs
cumulus, pareils à de savoureux et gigan-
tesques gâteaux à la crème, s'étageaient.
Plus haut, les fines plumes des cirrus
caressaient le ciel de septembre.

« Légère *brisa*, dit-il. Ce temps-là est
meilleur pour moi que pour toi, poisson. »

Sa main gauche était toujours nouée,

mais il gagnait peu à peu sur l'engourdis-
sement.

« Bon sang, j'aime pas les crampes!
pensa-t-il. C'est un sale tour qu'elle vous
joue, là, votre carcasse. Bien entendu,
quand on se flanque une indigestion, c'est
embêtant d'avoir la diarrhée devant les
camarades, ou de vomir; mais alors, là,
une crampe... » Pour lui une crampe était
une espèce de *calambre*. C'est encore
plus humiliant quand personne ne vous
voit.

« Si le gosse était là, il pourrait me
frictionner la main, il me plierait le poi-
gnet, pensait-il. Bah! ça finira bien par se
remettre en place. »

Tout à coup, avant même de voir l'inclinaison de la corde se modifier, il sentit
quelque chose de nouveau dans la tension
de la ligne. Pesant de toutes ses forces sur
le fil, le vieux se donnait de la main gauche de grands coups contre la cuisse. La
ligne, lentement, arrivait.

« Le voilà qui monte, dit-il. Allez, main, allez, cré nom! »

Lentement, régulièrement la ligne montait; soudain l'océan se souleva en avant de la barque et le poisson apparut. Il n'en finissait pas de sortir; l'eau ruisselait le long de ses flancs; il étincelait dans la lumière; sa tête et son dos étaient violet foncé; le soleil éclairait en plein ses larges rayures lilas. Il avait un nez très long, aussi long qu'une batte de base-ball, et pointu comme une épée. Le poisson émergea tout entier, puis, avec l'aisance d'un bon nageur, replongea. Le vieux eut le temps d'apercevoir la grande queue en forme de faux qui s'enfonçait, tandis que la ligne recommençait à galoper.

« Il a deux pieds de plus que la barque », dit le vieux. La ligne filait à toute vitesse mais sans heurt; le poisson ne s'affolait pas. Avec ses deux mains, le vieux s'efforçait de maintenir le fil juste à la limite du point de rupture. Il fallait tenir

le poisson serré pour le contraindre à ra-
lentir. A la moindre défaillance il risquait
d'emporter toute la ligne et de la casser.

« C'est un gros! C'est un tout gros, pensait-il. Faut que je l'aie à la persuasion.
Faut surtout pas qu'il ait idée de sa force
ni de ce qu'il pourrait faire en se mettant
à cavaler. Moi, si j'étais que de lui, j'en
foutrais un grand coup tout de suite et je
tirerais jusqu'à tant que ça pète. Dieu
merci, ces bêtes-là, c'est pas aussi intelli-
gent que les humains qui les tuent. Ça
les empêche pas d'être meilleures que
les humains, et plus malignes, dans un
sens. »

Le vieux avait rencontré des quantités
d'espadons dans sa vie. Certains pesaient
jusqu'à cinq cents kilos. Lui-même au
cours de sa carrière en avait pêché deux
de ce poids; toutefois il n'était pas seul.
Aujourd'hui, il est tout seul, il a perdu la
terre de vue, et le voilà accroché à la plus
grosse pièce qu'il ait jamais trouvée. Ja-

mais il n'a même entendu parler d'une
pièce comme cela. Et sa main gauche est
aussi recroquevillée que les serres d'un
aigle sur un lapin!

« Patience, elle finira bien par s'ouvrir,
pensait-il. Sûrement qu'elle va s'ouvrir
pour aider ma main droite. Y a trois choses
qui vont ensemble : le poisson et mes deux
mains. Faut que cette crampe finisse. C'est
pas honnête pour une main d'avoir une
crampe pareille. » L'espadon avait ralenti
encore une fois; il était revenu à sa vitesse initiale.

« Je me demande pourquoi qu'il a sauté,
pensa le vieux. On dirait qu'il a sauté rien
que pour montrer qu'il est grand. Bon. Je
le sais, maintenant, qu'il est grand. J'aimerais bien lui montrer, à mon tour,
quelle espèce de bonhomme que je suis,
moi. D'un autre côté, vaut mieux qu'il ne
voie pas la main avec la crampe. Faut le
laisser croire que je suis plus costaud que
j'en ai l'air, c'est le bon truc pour l'être

vraiment. Je voudrais que ça soit moi le poisson, pensa-t-il. C'est lui qu'a tous les avantages. Moi, j'ai que ma volonté et ma cervelle. »

Il se cala contre le bois du mieux qu'il put et prit son mal en patience. Le poisson allait toujours, le bateau se déplaçait lentement sur l'eau sombre. Une légère houle se dessinait sous le vent qui s'élevait à l'est. A midi la main gauche du vieil homme s'ouvrit.

« Y a du mauvais pour toi, poisson », dit-il en déposant la ligne sur le sac qui couvrait ses épaules.

Il était installé assez commodément; mais il avait mal, ce qu'il se refusait à admettre.

« Je ne suis pas très fort pour ce qui est de la religion, dit-il, mais je dirais bien dix *Notre Père* et dix *Je vous salue Marie* pour attraper ce poisson-là. Si je l'attrape je fais vœu d'aller en pèlerinage à la Vierge de Cobre. C'est dit. »

Il se mit à défiler mécaniquement ses prières. Par moments, la fatigue envahissait sa mémoire, ce qui l'obligeait à réciter très vite afin que la prière vînt automatiquement.

« Les *Je vous salue Marie* sont plus faciles que les *Notre Père* », pensa-t-il.

« Je vous salue Marie, pleine de « grâce, le Seigneur est avec vous. Vous « êtes bénie entre toutes les femmes et « Jésus, le fruit de vos entrailles, est béni. « Sainte Marie, Mère de Dieu, priez pour « nous, pauvres pécheurs, maintenant et « à l'heure de notre mort. Ainsi soit-il. » Puis il ajouta : « Vierge bénie, priez pour la mort de ce poisson, quoique ça soit un poisson extraordinaire. »

Ses prières dites, il se sentit beaucoup mieux! cependant ses souffrances étaient exactement les mêmes, peut-être un peu plus cruelles qu'avant. Il s'appuya contre le plat-bord et fit jouer machinalement les doigts de sa main gauche. Malgré la brise

qui soufflait agréablement, le soleil était
très chaud.

« Je ferais bien de réappâter cette
petite ligne qui est là-bas à l'arrière, dit-il.
Si le poisson a envie de se promener toute
la nuit, faudra tout de même que je
mange. Sans compter qu'il ne reste pas
beaucoup d'eau dans la bouteille. Ça
m'étonnerait que j'attrape autre chose
qu'une dorade, par ici. Mais si je la mange
bien fraîche, ça sera pas trop mauvais. Si
seulement un poisson volant pouvait me
tomber dans les pattes ce soir! Mais j'ai
pas de lumière pour les attirer. Cru, le
poisson volant, c'est épatant, et j'aurais
pas besoin de le couper. A présent,
faut pas que je gaspille ma force. Jésus!
J'aurais jamais pensé que ce poisson-là
était si gros! Ça m'empêchera pas de le
tuer, dit-il; tout superbe et formidable
qu'il soit. »

« Faut bien dire que c'est pas juste,
pensa-t-il. Mais je lui ferai voir tout ce

qu'un homme peut faire, et tout ce qu'un homme peut supporter. »

« J'ai dit au gamin que j'étais un drôle de bonhomme, dit-il. C'est le moment ou jamais de le prouver. »

Qu'il l'eût déjà prouvé mille fois, cela ne signifiait rien. Il fallait le prouver encore. Chaque aventure était nouvelle. Dans l'action le vieux ne pensait jamais au passé.

« Je voudrais bien qu'il dorme : je pourrais dormir aussi et rêver de lions, pensa-t-il. Pourquoi c'est-y les lions que je me rappelle surtout? Te pose pas de questions, mon ami, se dit-il à lui-même. Repose-toi gentiment contre le plat-bord et pense à rien. Il travaille, lui. Toi, travaille le moins possible. »

L'après-midi était déjà bien entamé. Le bateau continuait à voguer calmement, régulièrement. Maintenant la brise de l'est ajoutait sa poussée au mouvement du bateau; le vieux était porté doucement par la houle et la douleur que creusait la corde sur son dos suivait le rythme de cette longue et molle ondulation.

La ligne remonta encore une fois au cours de l'après-midi, mais sans résultat; le poisson nageait simplement à une profondeur moindre. Le vieux avait le soleil sur l'épaule, le bras gauche et le dos. D'où il conclut que l'espadon faisait route vers le nord-est.

Depuis qu'il l'avait vu, il se le représentait avançant dans l'eau profonde, ses nageoires rouge sombre largement déployées comme des ailes, sa grande queue verticale coupant les ténèbres. « Je me demande s'il voit quelque chose à cette profondeur-là, pensa le vieux. C'est vrai qu'il a un œil énorme, et qu'un cheval, avec un œil bien moins grand, voit dans le noir. Moi aussi, je voyais très bien dans le noir, autrefois. Pas dans le noir-noir, bien sûr. Mais presque aussi bien qu'un chat. »

L'action du soleil, jointe à l'exercice qu'il n'avait cessé de donner à ses doigts, avait complètement détendu sa main gauche; cela lui permit de confier à cette main davantage de travail. Il faisait jouer les muscles de son dos pour déplacer un peu l'appui meurtrier de la corde.

« Si t'es pas fatigué, poisson, dit-il tout haut, c'est que t'es un drôle de client. »

Lui-même commençait à se sentir épuisé. Il savait que la nuit allait tomber bientôt et il essayait de penser à autre chose. Il pensait aux grandes Associations de base-ball, qu'il appelait naturellement les *Gran Ligas;* il pensait au match qui avait mis aux prises les Yankees de New York et les *Tigres* de Detroit.

« Deux jours que ça dure, pensa-t-il. Je connais pas les résultats des *juegos*. Mais faut avoir confiance. Je serai à la hauteur du grand Di Maggio qui sait tout faire épatamment, malgré son talent qui lui fait tellement mal avec son « bec de bécasse ».

Qu'est-ce que c'est, au juste, un bec de bécasse? se demanda-t-il. *Un espuela de hueso.* Nous autres pêcheurs, on n'a pas des choses pareilles. Ça ferait-y des fois aussi mal qu'un ergot de coq de combat qui vous serait entré dans le talon? Moi, je pourrais jamais supporter ça. Si on me crevait un œil, ou les deux yeux, je pourrais pas continuer à me battre, comme les coqs de combat. L'homme, c'est pas grand-chose à côté des grands oiseaux et des bêtes. Et pourtant, ce que j'aimerais le mieux être, moi, c'est encore cette bête qui tire, là, en ce moment, dans le fond de c't'eau noire.

« Sauf si les requins s'amènent, ajouta-t-il tout haut. Si les requins s'amènent, que Dieu ait pitié de lui. Et de moi! »

« Le grand Di Maggio, savoir si il se cramponnerait à un poisson aussi long-temps que moi? pensa-t-il. Y a pas d'erreur. Plus longtemps même, il se cramponnerait, vu qu'il est jeune et costaud.

Faut pas oublier non plus que son père
il était pêcheur. Mais son talon? Ça le
ferait-y pas trop souffrir? »

« Je ne sais pas, dit-il tout haut. J'ai
jamais eu de bec de bécasse, moi. »

Quand le soleil se coucha, il évoqua,
afin de se redonner du courage, le jour où,
dans une taverne de Casablanca, il avait
joué à la « main de fer » avec un grand
Nègre originaire de Cienfuegos, et qui
était le type le plus fort des docks. Ils
étaient restés toute la journée et toute la
nuit les coudes plantés sur une marque à
la craie tracée sur la table, les avant-bras
dressés, leurs deux mains imbriquées l'une
dans l'autre. Chacun d'eux devait faire
plier le bras de l'autre et aplatir sa main
sur la table. Tout le monde pariait à qui
mieux mieux; les allées et venues ne cessaient pas, à la lumière des lampes à pé-
trole; il regardait tantôt le bras et la main
du Nègre, tantôt son visage. Au bout de
huit heures, on décida de relever les ar-

bitres toutes les quatre heures afin qu'ils
pussent dormir. Le sang perlait sous ses
ongles; il perlait de même sous les ongles
du Nègre; ils se regardaient dans le blanc
des yeux; ils regardaient aussi leurs mains
et leurs bras; les parieurs ne cessaient d'entrer et de sortir, s'asseyaient sur les hauts
tabourets placés le long des murs et
contemplaient les deux hommes. Sur les
cloisons en bois de la salle, qui étaient d'un
bleu vif, les lampes dessinaient des ombres.
L'ombre du Nègre était immense; elle se
déplaçait quand la brise balançait les
lampes.

Toute la nuit, les chances se parta-
gèrent. Lequel des deux l'emporterait? On
faisait boire du rhum au Nègre; on lui
mettait des cigarettes tout allumées dans
le bec. Après chaque coup de rhum, le
Nègre amorçait une poussée formidable.
Une fois il réussit à faire reculer le vieux
— qui n'était pas le vieux en ce temps-là,
mais bien Santiago *El Campeon* — de

cinq centimètres au moins. Mais le vieux
ramena sa main exactement à la même
hauteur. A cet instant il avait eu la certitude qu'il battrait le Nègre; et pourtant
c'était un beau gars et un grand sportif. Au
petit jour, les parieurs insistaient pour
qu'on déclarât match nul, l'arbitre incer-
tain hochait la tête, mais le vieux banda
soudain toutes ses forces. Plus bas, toujours plus bas, il força la main du Nègre à
descendre vers la table, jusqu'à ce qu'elle
touchât le bois. Le duel avait commencé
un dimanche matin. C'est le lundi matin
qu'il se termina. La plupart des parieurs
voulaient qu'on déclarât match nul. Ils
avaient leur travail aux docks, n'est-ce
pas : charger des sacs de sucre, ou aux
« charbonnages de La Havane ». Sans
cela, bien sûr, ils auraient tous préféré
voir la fin de l'épreuve. Quoi qu'il en
soit, lui, il avait emporté la décision. Et
avant que quiconque ait dû retourner au
boulot.

Longtemps après ce haut fait, on l'appelait encore « Le Champion ».

Au printemps, il y eut la revanche. Toutefois les paris étaient mous. Le vieux n'eut pas à se donner beaucoup de mal pour gagner. Sa première victoire avait brisé le moral du Nègre de Cienfuegos. Par la suite il lui arriva de disputer quelques épreuves, puis il s'arrêta tout à fait. Il décréta qu'il était capable de battre n'importe qui, pour peu qu'il le désirât vraiment; à la longue ce genre de lutte risquait de lui gâter la main droite, de la rendre impropre à la pêche. Il avait bien essayé d'entraîner sa main gauche; mais celle-ci s'était toujours conduite traîtreusement : elle ne voulait jamais exécuter ses ordres. Impossible de se fier à une main gauche.

« Le soleil va me la cuire un bon coup maintenant, pensa-t-il. Ça devrait suffire pour qu'elle ne me repique pas de crampe, à moins qu'elle n'ait trop froid pendant la

nuit. Je me demande ce qui va se passer
cette nuit. »

Un avion qui se dirigeait vers Miami
traversa le ciel. Son ombre sema la pani-
que parmi les bancs de poissons volants.

« Avec autant de poissons volants que
ça, il devrait y avoir de la dorade »,
dit-il. Il tira sur la ligne pour voir s'il n'y
avait pas moyen de gagner un peu de
longueur sur l'espadon. Rien à faire. Il
s'arrêta quand la dureté et les vibrations
l'avertirent que la ligne était au point de
rompre. La barque avançait lentement; il
suivit des yeux l'avion jusqu'à ce qu'il le
perdît de vue.

« Ça doit faire un drôle d'effet d'aller en
avion, pensa-t-il. A quoi ça ressemble-t-y,
la mer, vue de là-haut? On doit voir le
poisson à travers l'eau quand on ne vole
pas à des altitudes. Ce que j'aimerais, moi,
c'est de voler très lentement à deux cents
toises de hauteur, et regarder le poisson
par en dessus. Dans les bateaux à tortues,

je me perchais dans les vergues et rien que
de là je voyais déjà très bien. Les dorades
ont l'air plus vertes, de haut; et on peut
voir aussi le banc tout entier en train de
nager. Comment ça se fait-y que dans le
courant qu'est noir, tous les poissons
rapides ont des dos rouges? Et pourquoi
qu'ils ont presque toujours des rayures ou
des taches? Si les dorades ont l'air vertes,
c'est parce qu'elles sont jaunes, bien sûr.
Mais quand elles cherchent leur nourriture et qu'elles ont vraiment faim, elles
ont sur les côtés des rayures rouges comme
les marlins. Qu'est-ce que c'est qui les fait
sortir, ces rayures? la colère ou bien la
vitesse? »

Peu avant la tombée de la nuit, alors
qu'ils passaient à proximité d'un grand
îlot d'herbe des Sargasses qui se soulevait
et ondulait dans la houle comme si la mer
faisait l'amour sous une couverture jaune,
une dorade mordit à la petite ligne de l'arrière. Le vieux l'aperçut quand elle sauta.

Elle se tordait, elle donnait de furieux coups de queue. C'était un vrai lingot d'or dans le soleil rasant.

L'excès de sa peur multipliait ses acrobaties. Le vieux, accroupi, se porta comme il put jusqu'à l'arrière. De la main droite il retenait la grande ligne; de la gauche il ramena la dorade. Chaque fois qu'il gagnait un morceau de ligne, il plaquait dessus son pied nu. Affolé, plongeant et virevoltant sans cesse, le poisson d'or bruni tacheté de rouge toucha enfin la barque. Le vieux se pencha par-dessus bord et le fit basculer par-dessus la poupe.

La dorade ouvrait et refermait la bouche convulsivement sur l'hameçon. Son long corps plat battait furieusement le plancher de la barque. Le vieux appliqua un coup de masse en travers de sa brillante tête dorée et, après un long frémissement, elle retomba inerte.

Le vieux décrocha l'hameçon, réappâta avec une autre sardine et lança la ligne.

Puis il revint lentement vers l'avant. Il lava sa main gauche et l'essuya sur son pantalon, après quoi il fit passer la lourde ligne dans sa main gauche et lava sa main droite dans la mer. Il regardait le soleil pénétrer dans l'océan, et l'inclinaison de la grande ligne.

« Il a pas changé », dit-il. Cependant, au mouvement de l'eau contre sa main, il constata que l'allure s'était nettement ralentie.

« J'ai envie d'attacher les deux avirons ensemble en travers de l'avant; ça le ralentira pendant la nuit, dit-il. Parce qu'on est bon pour passer la nuit, lui et moi. »

« Je ferais mieux de pas vider la dorade tout de suite pour que le sang reste dans la viande, pensa-t-il. Je la viderai un peu plus tard, quand j'attacherai les avirons pour faire frein. C'est pas la peine d'embêter mon poisson maintenant. Le soleil se couche. Quand le soleil se couche, les poissons s'énervent. C'est connu. »

Il sécha sa main dans le vent, puis la posa de nouveau sur la ligne et, se laissant aller en avant, se cala du mieux qu'il put contre le plat-bord. Le bateau, de la sorte, prenait sa bonne part du poids de la ligne tendue.

« Je commence à connaître la musique, pensa-t-il. Ce morceau-là en tout cas. Faut pas oublier non plus qu'il a rien mangé depuis qu'il a pris l'hameçon, qu'il est énorme et qu'il a besoin de beaucoup de nourriture. Moi j'ai mangé le *bonito* tout entier. Demain je mangerai la dorade. (Il l'appelait *dorado*.) Peut-être que je devrais en manger un bout quand je la viderai. Ça sera plus difficile à manger que le *bonito*. Mais rien n'est facile, à présent. »

« Comment que ça va là-dessous, poisson? demanda-t-il tout haut. Moi, ça va pas mal : ma main gauche est bien mieux, j'ai des provisions pour la nuit et la journée de demain, vas-y, tire le bateau, mon gars! »

En réalité, il n'est pas si à son aise que ça. La corde, en labourant son dos, lui causait une douleur qui avait presque dépassé les limites de la conscience, et s'était pour ainsi dire émoussée d'une façon assez inquiétante. « Bah! j'en ai vu d'autres, pensa-t-il. Ma main droite, elle n'a qu'une petite coupure, et l'autre main, y a plus de crampe. Les jambes, y a rien à dire. Et puis, question nourriture, je suis mieux partagé que lui! »

Il faisait nuit; en septembre la nuit vient tout de suite après le coucher du soleil. Le vieux s'appuya contre le bois usé du plat-bord et se reposa un bon coup. Les premières étoiles se montraient. Il ne connaissait pas le nom de Rigel, mais il la voyait, et savait que bientôt toutes ses amies lointaines parsèmeraient le ciel.

« Le poisson aussi est mon ami, dit-il tout haut. J'ai jamais vu un poisson pareil; j'ai jamais entendu parler d'un poisson comme ça. Pourtant faut que je le tue.

Heureusement qu'on n'est pas obligé de tuer les étoiles!

« Une supposition que tous les jours un homme devrait essayer de tuer la lune? pensa-t-il. Bon, la lune se débine. Mais une supposition que tous les jours un homme devrait essayer de tuer le soleil? On a encore de la veine d'être comme on est », pensa-t-il.

Il se sentit alors tout triste à l'idée que son grand poisson n'avait rien à manger; sa volonté de le tuer ne s'en trouva d'ailleurs pas diminuée le moins du monde. « Combien de gens pourront se nourrir dessus? se demanda-t-il. Mais est-ce que les gens méritent de le manger? Non, bien sûr. Y a personne qui mérite de le manger, digne et courageux comme il est, ce poisson-là.

« Je comprends pas bien tout ça, pensa-t-il. Mais c'est encore heureux qu'on ne soit pas obligé de faire la chasse au soleil, à la lune ou aux étoiles. On a assez de mal

comme ça, à vivre sur la mer, et à tuer nos
frères les poissons.

« Minute, pensa-t-il, faut que je réfléchisse un peu à ce freinage par les avirons.
Ça a ses inconvénients, mais ça a aussi ses
avantages. Quand les avirons seront en
place, le bateau perdra toute sa légèreté.
A ce moment-là si le poisson tente le coup,
moi je risque de lâcher tellement de ligne
qu'il est foutu de se sauver. Plus le bateau
est léger, bien sûr, et plus on souffrira
longtemps tous les deux, mais grâce à ça,
au moins, je suis tranquille : ce poisson-là
il n'a pas encore donné toute sa vitesse, et
il peut aller bougrement vite, si il veut.
En tout cas, faut que je vide la dorade,
autrement elle va se gâter, et faut que
j'en mange un peu pour rester costaud.

« Bon; maintenant je vais me reposer
une heure. Ensuite, on verra si le poisson
est toujours fidèle au poste, si il est bien
tranquille.

« Alors, ni une ni deux, je vais à l'ar-

rière et au boulot! je risque le tout. D'ici
là, je verrai bien ce qu'il fabrique, si il
manigance quelque chose.

« Les avirons, c'est une riche idée; mais
on arrive maintenant à un moment où faut
ouvrir l'œil. Il est encore aussi poisson
qu'il peut l'être. Je l'ai bien vu : il a l'hameçon dans le coin de la bouche, et il
garde la bouche fermée. C'est encore rien
le mal que lui fait l'hameçon. Mais la
faim, et puis de se débattre comme ça
contre quelque chose qu'il ne comprend
pas, c'est ça son vrai malheur. Repose-toi
pour le moment, mon bonhomme, et laisse
le poisson travailler jusqu'à ce que ça soit
ton tour. »

Il se reposa pendant deux heures — ou
ce qui lui sembla deux heures. Comme la
lune se levait tard, il n'avait aucun moyen
d'évaluer le temps. D'ailleurs son repos
était une chose très relative. Ses épaules
supportaient toujours le poids de la ligne;
mais il avait placé sa main gauche sur le

plat-bord de l'avant et il confiait de plus
en plus à la barque même l'effort de résister au poisson.

« Ça serait plus simple, bien sûr, si je
pouvais attacher la ligne à quelque chose,
pensa-t-il. Oui, mais voilà : suffirait d'un
petit coup sec pour tout casser. Faut que
j'amortisse la ligne avec mon dos; faut
que je sois à même à chaque instant de
donner du fil avec les deux mains. »

« Mais, mon ami, sais-tu bien que tu
n'as pas dormi du tout? dit-il tout haut.
Ça fait un demi-jour, une nuit et puis
encore un jour que ça dure et t'as pas
fermé l'œil. Si il continue à tirer tranquil-
lement comme ça, faut t'arranger pour
roupiller un petit peu. A force de pas
dormir, on risque de ne plus avoir la tête
assez claire. »

« J'ai la tête tout de ce qu'il y a de
claire, pensa-t-il. Trop claire même. Claire
comme les étoiles qui sont mes p'tites
sœurs. Mais faut tout de même que je

dorme. Les étoiles ça dort; la lune aussi;
et le soleil, alors? Même l'océan quelque-
fois il dort, les jours où y a pas de courant
et où c'est le calme plat.

« Rappelle-toi qu'il faut que tu dormes,
pensa-t-il. Force-toi à dormir, et trouve un
truc quelconque pour pas avoir de sur-
prise avec les lignes. Pour l'instant, va à
l'arrière fileter ta dorade. Avec ce besoin
de dormir que t'as, ça ne serait pas prudent d'installer les rames.

« Je pourrais bien me passer de dormir,
se dit-il. Mais vraiment, ça serait trop
dangereux. »

Se traînant sur les mains et les genoux,
attentif à ne pas donner de secousse à la
ligne, il se fraya un chemin jusqu'à la
poupe. « Peut-être bien qu'il est à moitié
endormi lui aussi? songea-t-il. Mais ça fait
pas mon affaire. Faut qu'il tire. Qu'il tire!
Jusqu'à ce qu'il en crève. »

Arrivé à destination, il prit la ligne
dans sa main gauche. Avec la droite, il tira

son couteau de la gaine. Les étoiles don-
naient toute leur clarté; le vieux voyait
très nettement la dorade. Il planta la lame
dans sa tête et l'attira vers lui. La maintenant avec son pied, il la fendit d'un coup
sec, de la base du ventre à la pointe de la
mâchoire inférieure. Il posa ensuite son
couteau et, toujours de sa seule main
droite, la vida, tripes et ouïes. La panse
était lourde et glissante au toucher; il l'ouvrit : elle contenait deux poissons volants.
Ils étaient frais et fermes. Il les posa l'un
à côté de l'autre et lança les déchets de la
dorade par-dessus bord. Cela s'enfonça en
traçant un sillon phosphorescent dans
l'eau. La dorade était froide; étalée là,
sous les étoiles, elle paraissait blême et
lépreuse; la retenant avec son pied, le
vieux lui arracha la peau sur toute une
face, après quoi il la retourna et dépeça
l'autre face; enfin il détacha les filets de
la tête à la queue.

En jetant l'arête par-dessus bord, il regarda s'il apercevait quelque remous. Mais il ne vit rien, qu'une lente descente lumineuse.

Il se retourna, enveloppa les poissons volants dans les deux morceaux de la dorade, mit le couteau dans sa gaine, et, lentement, remonta jusqu'à l'avant. La ligne, tendue sur ses épaules, courbait son dos; il portait son paquet de poisson dans la main droite.

Après avoir étalé les morceaux de dorade et les poissons volants sur le petit appontement de la proue, il changea la position de la ligne sur son dos. C'était de nouveau sa main gauche qui, prenant appui sur le rebord, retenait le fil. Il se pencha, afin de laver les poissons volants dans la mer et tenta d'évaluer, contre sa main, la vitesse de l'eau. La peau de la dorade qu'il avait écorchée avait laissé une phosphorescence sur cette main; il s'amusait à voir les vaguelettes se briser contre elle.

La mer était plus calme. Quand il frottait sa paume sur le flanc de la barque, des particules phosphoreuses s'en détachaient et flottaient lentement dans son sillage.

« Ou il se fatigue, ou il se repose, dit le vieux. Bon, ben tout ce que j'ai à faire, c'est de m'envoyer cette dorade, de me reposer aussi et de roupiller un brin. »

Sous les étoiles, dans la nuit qui fraîchissait de plus en plus, il mangea la moitié d'un filet de dorade, plus un poisson volant au préalable étêté et vidé.

« C'est drôle ce que la dorade ça peut être bon quand c'est cuit, dit-il, et ce que ça peut être mauvais quand c'est cru. Je ne remettrai jamais les pieds dans un bateau sans emporter du sel et des citrons.

« Si j'étais pas une vieille bête, pensa-t-il, j'aurais arrosé le plat-bord avec de l'eau de mer. En séchant, ça aurait fait du sel.

« Faut dire que je n'ai attrapé la dorade

qu'après le coucher du soleil. Mais de
toute façon, je pense à rien. Enfin! en
mâchant bien comme j'ai fait, ça m'a pas
fichu mal au cœur. »

Les nuages, s'accumulant à l'est, mas-
quaient l'une après l'autre toutes les
étoiles que le vieux connaissait. On eût
dit qu'il entrait dans un grand canyon de
nuages; le vent était tombé.

« C'est du mauvais temps qui se prépare pour dans trois ou quatre jours, dit-il.
Mais c'est pas pour cette nuit. Ni pour
demain. C'est le moment ou jamais de dormir, mon ami, pendant que le poisson
continue son petit bonhomme de chemin. »

Il remonta sa cuisse sous sa main droite
qui soutenait la ligne, et se laissa aller
contre l'appontement de l'avant; puis il
fit descendre la corde sur ses épaules et
la cala sous sa main gauche.

« Tant qu'elle sera appuyée, ma main
droite tiendra le coup, pensa-t-il. Si elle

mollit pendant que je dors, ma main
gauche me réveillera au moment où la
ligne fichera le camp. Ça sera dur pour
c'te pauvre main droite. Bah! elle en a
déjà vu de rudes. Même que je dormirais
que vingt minutes ou une demi-heure, ça
serait toujours ça de pris. » Il se pencha
en avant pour résister de tout son corps au
poids de la ligne. Sa force entièrement
concentrée dans sa main, il s'endormit.

Il ne rêva pas de lions, mais d'un
énorme banc de marsouins qui s'étendait
sur une dizaine de milles.

C'était la saison des amours; ils sautaient à des hauteurs prodigieuses et re-
tombaient dans l'entonnoir même qu'ils
avaient creusé en jaillissant de l'eau.

Plus tard, il rêva qu'il était au village.
Il était couché dans son lit; le vent du
nord le faisait grelotter et son bras droit
était engourdi parce qu'il avait posé sa
tête dessus comme sur un oreiller.

Enfin, la grande plage de sable jaune

apparut. Le vieux aperçut le premier lion : il descendait vers la mer, dans le crépuscule; les autres lions ne tardèrent pas. Le menton appuyé sur le rebord de l'avant, il les contemplait. Son navire se balançait sur ses ancres. La brise vespérale soufflait de la côte. Viendrait-il encore d'autres lions? Le vieux se sentait heureux.

La lune était levée depuis longtemps, mais il dormait toujours et le poisson continuait à tirer du même élan régulier, entraînant le bateau dans un tunnel de nuages.

Un coup de poing en pleine figure le réveilla. La ligne lui arrachait la peau de la main droite. Sa main gauche était insensible. De toute la force de sa main droite, il freina la fuite du fil. Enfin sa main gauche réussit à trouver la ligne, qu'il coinça avec son dos; ce fut alors son dos et sa main gauche qui subirent la morsure de la corde; la main gauche avait maintenant tout à faire, et était profondément entail-

lée. Le vieux coula un regard en arrière
vers les paquets de lignes : ils se dérou-
laient régulièrement. A cet instant, ou-
vrant une large brèche dans l'océan, l'espadon sauta, puis retomba lourdement.
Il fit ensuite une série de bonds qui entraî-
nèrent le bateau à une allure folle, en
dépit des longueurs de fil que le vieux ne
cessait de donner, et de la tension de plus
en plus grande qu'il infligeait à la ligne,
tirant, tendant, résistant jusqu'à la limite
du possible. La lutte l'avait jeté à plat
ventre contre le bois de l'appontement;
son nez et sa joue écrasaient les filets de
dorade, il ne pouvait faire un mouvement.

« C'est bien ce que nous avons voulu,
pas vrai? pensa-t-il. Eh bien, ne nous plai-
gnons pas.

« T'imagine pas que je te fais cadeau
de toute cette ligne, pensa-t-il. Tu la paie-
ras, c'est moi qui te le dis. »

Il ne voyait pas le poisson sauter; il
entendait seulement le froissement de

bonne longueur de corde; quant à l'espadon, il lui fallait maintenant supporter le
poids de cette ligne supplémentaire.

« Bon! pensa le vieux. Sans compter
qu'il a bien sauté une douzaine de fois et
qu'il a rempli d'air les sacs qui sont sous
son dos. Il pourra pas s'enfoncer et aller
crever si loin que je ne puisse le remonter.
Il va bientôt se mettre à tourner en rond
et ça va être mon tour de le mener où ça
me plaît. Je me demande ce qui l'a piqué
comme ça, tout d'un coup. Ça serait-y la
faim qui l'aurait rendu enragé, ou quelque
chose qui lui a fait peur dans le noir?
Peut-être bien qu'il a eu la frousse. Pourtant, ce poisson-là, il avait l'air calme, et
costaud. On aurait dit qu'il n'avait jamais
peur, qu'il ne doutait de rien. C'est bizarre. »

« Tu ferais bien de ne pas avoir peur,
ni de perdre la boussole toi-même, bonhomme, dit-il. Tu l'as repris en main, c'est
une affaire entendue, mais tu ne peux
toujours pas regagner de ligne sur lui. En

tout cas, va falloir qu'il commence bientôt
à tourner en rond. »

Le vieux contrôlait l'espadon à la fois
de la main gauche et des épaules; il se
pencha pour puiser de l'eau dans sa main
droite et laver son visage souillé par la
dorade. Il craignait que cette odeur ne le
fît vomir et que ses forces en fussent dimi-
nuées. Après s'être nettoyé, il laissa tremper un moment sa main dans l'eau salée,
guettant l'éclosion de cette lueur qui précède le lever du soleil. « Maintenant il file
plein est, pensa-t-il. Ça veut dire qu'il est
fatigué et qu'il se laisse porter par le courant. Faudra bientôt qu'il se mette à tourner en rond. Alors, en avant la musique! »

Quand il jugea que sa main droite était
restée suffisamment dans l'eau, il l'en sortit
et l'examina.

« Ça peut aller, dit-il. Un homme, ça
se laisse pas démolir comme ça. »

Il saisit la ligne avec précaution, prenant garde à ce qu'elle n'entrât pas dans

les coupures fraîches, et opéra une révolu-
tion sur lui-même afin de pouvoir tremper
sa main gauche dans la mer de l'autre côté
de la barque.

« Tu t'en es pas trop mal tiré pour
une bonne à rien, dit-il à la main gauche.
Mais pendant un moment, je savais plus
où t'étais. »

« Pourquoi donc que j'ai qu'une main
de bonne? pensa-t-il. Peut-être que j'ai eu
tort de ne pas former celle-là comme il
faut. Pourtant, elle a eu assez d'occasions
de s'entraîner, bon sang! Tout de même,
elle a été presque à la hauteur cette nuit,
et elle n'a eu qu'une crampe. Si elle en a
encore une, de crampe, je m'en fous : je
laisse la ligne couper dedans sans me
bouger. »

Il lui sembla que ses idées s'embrouil-
laient; il se dit qu'il devrait manger encore
un morceau de dorade. « Mais c'est plus
fort que moi, songea-t-il, ça me dégoûte.
Vaut mieux se sentir la tête vide que de

perdre ses forces en vomissant. Ça pourrait
pas descendre. Pensez : quand on a eu la
figure collée dessus! Je la garderai en réserve — on ne sait jamais — jusqu'à ce
qu'elle se gâte. De toute façon c'est trop
tard. Je n'ai plus le temps de me refaire
des forces en mangeant. Imbécile, se dit-il
à lui-même. T'as qu'à manger l'autre poisson volant. »

Le poisson volant était là, tout propre,
prêt pour la consommation. Le vieux le
saisit de la main gauche et le croqua soigneusement, chair et arêtes, de la tête à la
queue.

« Y a pas plus nourrissant que ça,
comme poisson, pensa-t-il. En tout cas, c'est
juste le genre de nourriture qu'il me faut.
Bon. Ben, je peux rien faire de plus, pensa-t-il. Vivement qu'il se mette à tourner
et qu'on se bagarre! »

Le soleil se levait pour la troisième
fois sur le vieux et sur sa barque, lorsque
l'espadon commença ses cercles.

Ce n'est pas l'inclinaison de la ligne
qui pouvait indiquer que le poisson s'était
mis à tourner. Il était encore trop tôt. Il
n'y eut qu'un petit relâchement dans la
tension. Le vieux tira doucement de la
main droite. La ligne se raidit de nouveau,
comme à toutes les autres tentatives, mais
au moment même où elle semblait tendue
à se rompre, elle recommença à céder. Le
vieux la fit glisser par-dessus ses épaules
et sa tête et commença à la ramener sans
hâte ni violence. Il se servait de ses deux
mains, balançait son corps de gauche à
droite, et tâchait de faire porter l'effort
sur le buste et sur les jambes. Ses vieilles
jambes, ses vieilles épaules suivaient doci-
lement le mouvement de balancier qu'il
imprimait à ses bras.

« C'est un rond qui s'en va chercher
au diable, dit-il, mais c'est un rond. »

La ligne refusa de céder d'un pouce. Le
vieux la tenait si serrée que des goutte-
lettes en jaillissaient dans la lumière. Puis

elle se mit à filer; le vieux s'agenouilla et la laissa à regret s'enfoncer dans l'eau sombre.

« Le voilà au bout de son rond, maintenant », dit-il. « Faut que je me cramponne tant que ça peut, pensa-t-il. La fatigue l'obligera à raccourcir son rond à chaque fois. Peut-être que d'ici une heure je le verrai. Pour le moment, faut en venir à bout. Après, je le tue. » Mais le poisson, sans se presser, continua à décrire des cercles. Deux heures plus tard, le vieux était couvert de sueur et las jusqu'à la moelle. Toutefois les cercles diminuaient progressivement et d'après l'inclinaison de la ligne on pouvait constater que le poisson se rapprochait constamment de la surface.

Depuis une heure, le vieux voyait danser des taches noires; la sueur coulait dans ses yeux et son âcreté salée le cuisait, elle cuisait aussi la coupure qu'il s'était faite au front. Les taches noires ne l'inquiétaient pas trop. C'était un phénomène nor-

mal, vu l'effort qu'il fournissait sur cette
ligne. A deux reprises, pourtant, il avait
eu des éblouissements et des vertiges. Cela,
c'était alarmant.

« Je vais tout de même pas me jouer
un tour pareil et claquer au moment d'attraper un poisson comme ça, dit-il. Maintenant que j'ai réussi à l'amener si bien,
aidez-moi, mon Dieu, je vous en prie. Je
dirai cent Notre Père et cent Je vous salue
Marie. Mais pas tout de suite. »

« C'est comme si ils étaient dits, vous
savez, pensa-t-il. Je les dirai plus tard,
c'est tout. »

Au même instant, la ligne lui transmit
une secousse formidable. Il se cramponna
des deux mains. C'était aigu, c'était dur,
c'était lourd.

« Il tape sur la base avec son nez, pensa-
t-il. Fallait bien que ça arrive. Il pouvait
pas faire autrement. Ça risque de le faire
sauter, et moi j'aimerais bien mieux qu'il
continue à tourner en rond. Fallait qu'il

saute pour respirer de l'air. Mais maintenant chaque fois qu'il saute, ça élargit le
trou de l'hameçon. Il finirait par le cra-
cher, comme ça, l'hameçon. »

« Saute plus, poisson, dit-il. Saute
plus! »

Le poisson heurta le métal plusieurs
fois encore. A chaque coup de tête, le
vieux laissait filer un peu de ligne.

« Faut pas y aller trop fort, pensa-t-il.
Moi, si j'ai mal, ça n'a pas d'importance;
je me fais une raison. Mais lui, de souffrir, ça peut le rendre enragé. »

Au bout d'un moment, l'espadon cessa
de frapper le métal de la ligne et recommença lentement à tourner. Le vieux ame-
nait du fil sans arrêt. Mais il eut un nou-
vel étourdissement. Il prit un peu d'eau de
mer dans sa main et la versa sur sa tête.
Puis il en prit encore pour se frotter la
nuque.

« J'ai pas de crampe, pensa-t-il. Il va
bientôt monter, et je peux tenir jusque-là.

Faut que tu tiennes! Pas la peine de discu-
ter. »

Il fit passer de nouveau la ligne derrière ses épaules et s'agenouilla un moment
contre le plat-bord. « Je vais me reposer
un petit moment pendant qu'il s'éloigne,
décida-t-il. Quand il se ramènera, je me lè-
verai et je recommencerai à le travailler. »

Quelle tentation de se reposer contre
l'appontement et de laisser le poisson ac-
complir un cercle entier sans tirer la ligne!
Mais quand la tension indiqua que l'espadon revenait vers la barque, le vieux
se mit sur ses jambes et recommença le jeu
de bascule, et le pompage et le tirage, afin
de conserver tout le fil gagné.

« Je suis rendu comme je l'ai jamais été,
pensa-t-il, et voilà-t-y pas que l'alizé se lève!
Mais ça ne sera pas mauvais pour le cro-
cher. J'ai bougrement besoin d'un peu de
fraîcheur.

« C'est dit, je me repose au prochain
coup, pendant qu'il fera son rond, dit-il. Je

me sens déjà mieux. Encore deux ou trois ronds et je l'ai. »

L'espadon amorçait un nouveau cercle; la ligne se tendit de nouveau. Son chapeau de paille repoussé sur la nuque, le vieux se laissa tomber dans la courbe de l'avant.

« A ton tour de travailler, mon gars, pensa-t-il. Je te rattraperai au virage. »

La mer était devenue très houleuse. Mais c'était une brise de beau temps qui soufflait : elle serait bien utile pour rentrer à La Havane.

« Je tiendrai le cap au sud et à l'ouest, dit-il. Un homme trouve toujours sa route sur la mer, et Cuba, c'est une grande île. »

Au troisième tour, le vieux aperçut enfin son poisson.

Il lui apparut d'abord comme une ombre noire. Cela mettait si longtemps à passer sous le bateau qu'il ne pouvait croire à une telle longueur.

« Voyons, c'est pas possible, dit-il, il peut pas être aussi grand que ça. »

Mais il était effectivement aussi grand
que ça et quand, à la fin de ce troisième
tour, il émergea à vingt-cinq mètres de
distance, le vieux vit sa queue dressée sur
l'eau. Elle était plus haute que le fer d'une
grande faux; sa couleur mauve tranchait
sur le bleu sombre de la mer. La queue
disparut. L'espadon nageait juste au-dessous de la surface; le vieux entrevit sa
masse énorme et les bandes pourpres qui
cerclaient son corps. Sa voile dorsale était
repliée; ses vastes nageoires pectorales
étaient déployées largement.

Le vieux aperçut distinctement l'œil du
poisson et les deux rémoras qui nageaient
à ses côtés. De temps à autre, les rémoras
se fixaient à lui. Puis ils le lâchaient brusquement. Parfois encore ils nageaient pai-
siblement dans son ombre. Ils avaient chacun un bon mètre de long. Leur nage rapide leur donnait un sinueux mouvement
d'anguilles.

Le vieux était en sueur, et ce n'était pas

la faute du soleil. A chaque tour paisible du poisson, il gagnait de la ligne. Encore deux tours et il réussirait à le harponner, il en était sûr.

« Mais il faut d'abord l'amener tout près, tout près, pensa-t-il. C'est pas la tête qu'il faut viser. C'est le cœur. »

« Du calme, mon bonhomme. C'est pas le moment de faiblir », dit-il.

Au tour suivant, le dos du poisson sortit de l'eau. Toutefois, il était un peu trop loin de la barque. Au tour d'après il était encore trop loin, mais il sortait de l'eau davantage. Le vieux eut la certitude qu'en raccourcissant la ligne, il réussirait à l'amener le long de la barque.

Le harpon était préparé depuis longtemps, avec son paquet de corde mince lové dans un panier rond, et dont l'extrémité était nouée à la bitte de proue.

L'espadon, calmement, achevait son cercle. Il était magnifique. On ne voyait remuer que sa grande queue. Le vieux tira

sur la ligne afin de le rapprocher. L'espace
d'un instant, le poisson se tourna légèrement sur le côté. Puis, se redressant, il entama un nouveau cercle.

« Je l'ai fait bouger, dit le vieil homme.
Je viens de le faire bouger! »

Il était épuisé, mais il tenait l'énorme
poisson aussi court que possible. « Je l'ai
fait bouger, pensait-il. Peut-être que je
vais pouvoir l'amener ce coup-ci. Allez-y
mes mains, allez-y mes jambes, me lâchez
pas! Et ma tête! me lâche pas non plus,
ma tête! T'as toujours tenu bon. C'est
cette fois-ci que je l'amène! »

Amorçant son mouvement bien avant
que le poisson ne fût revenu près de la
barque, il banda toutes ses forces et tira
furieusement, mais le poisson réussit à
s'écarter, puis, se redressant, s'éloigna de
nouveau, lentement.

« Poisson, dit le vieux, poisson faut que
tu meures. De toute façon. Tu veux que je
meure aussi? »

« On n'arrivera à rien comme ça »,
pensa-t-il. Sa bouche était trop sèche pour
parler, mais il ne pouvait atteindre sa bouteille. « Cette fois, faut que je l'amène. Je
tiendrai pas longtemps à ce train-là. Mais
si, tu tiendras, se dit-il à lui-même. Tu
tiendras jusqu'au bout. »

Au cercle suivant, il s'en fallut de peu
qu'il ne l'attrapât. Mais le poisson se redressa encore et s'éloigna lentement.

« Tu veux ma mort, poisson, pensa le
vieux. C'est ton droit. Camarade, j'ai
jamais rien vu de plus grand, ni de
plus noble, ni de plus calme, ni de
plus beau que toi. Allez, vas-y, tue-moi.
Ça m'est égal lequel de nous deux qui tue
l'autre.

« Qu'est-ce que je raconte? pensa-t-il.
Voilà que je déraille. Faut garder la tête
froide. Garde la tête froide et endure ton
mal comme un homme. Ou comme un
poisson. »

« La tête froide, dit-il d'une voix qu'il

n'entendait plus qu'à peine. La tête froide!... »

Deux fois encore, les cercles du poisson restèrent sans résultat.

« Je ne sais plus », pensa le vieil homme. Il avait été sur le point de s'évanouir chaque fois. « Je ne sais plus! Mais je vais essayer encore un coup. »

Il essaya encore un coup. Au moment où il retourna le poisson, il sentit venir la syncope. Le poisson se redressa, puis repartit d'une lente allure, sa grande queue godillant dans l'air.

« Je vais encore essayer », affirma le vieux, bien que ses mains fussent toutes molles et que ses yeux ne vissent plus que par instants.

Il essaya encore. Même échec. « Et voilà! » pensa-t-il. La syncope arriva avant qu'il eût commencé; « j'essayerai encore un coup ».

Il rassembla ce qui lui restait de force, de courage et de fierté; il jeta tout cela contre l'agonie du poisson. Celui-ci s'approcha de la barque; il nageait gentiment tout près du vieux, son nez touchait le plat-bord.

Il se préparait à dépasser le bateau. C'était une longue bête argentée aux rayures pourpres, épaisse, large. Dans l'eau, il semblait interminable.

Le vieux lâcha la ligne et mit son pied dessus. Il souleva le harpon aussi haut qu'il put. De toutes ses forces, augmentées de la force nouvelle qu'il venait d'invoquer, il le planta dans le flanc du poisson, derrière la grande nageoire pectorale qui se dressait en l'air à la hauteur de sa poitrine. Il sentit le fer entrer, s'appuya et pesa de tout son poids pour qu'il pénétrât jusqu'au fond.

Le poisson, la mort dans le ventre, revint à la vie. Dans un ultime déploiement de beauté et de puissance, ce géant fit un bond fantastique. Pendant un instant, il resta comme suspendu en l'air au-dessus

du vieil homme et de la barque. Enfin il
s'écrasa lourdement dans la mer.

Le vieux et son bateau furent submer-
gés par une trombe d'eau.

Le vieux était épuisé; il était à bout;
il voyait à peine clair. Pourtant il démêla
la corde du harpon et la fit glisser lentement dans ses mains écorchées. Quand la
vue lui revint, le poisson était sur le dos;
il aperçut son ventre argenté. Le dard du
harpon sortait de biais, près de la tête; la
mer commençait à se teinter d'un sang
rouge, qui coulait du cœur. D'abord cela
parut sombre comme un haut-fond, dans
cette mer qui avait plus de mille mètres de
profondeur. Puis la couleur s'étala comme
un nuage. L'espadon, argenté et immobile,
flottait sur les vagues.

Pendant les brefs instants où il pouvait
y voir, le vieux regardait attentivement. Il
enroula deux fois la corde du harpon autour de la bitte de proue et laissa tomber sa
tête dans ses mains.

« Faut pas perdre la tête, murmura-t-il contre le plat-bord de l'avant. Mon bonhomme, t'as ton compte. Mais j'ai tué ce poisson qui était mon frère et maintenant faut que je fasse toutes les corvées.

« Faut que je prépare les nœuds coulants et la corde pour l'amarrer le long du bateau, pensa-t-il. Même si on était deux et qu'on fasse pencher le bateau pour le basculer dedans, quitte à écoper l'eau ensuite, il n'y tiendrait jamais. Faut que je prépare tout d'avance; après je l'amènerai pour le ficeler; quand ça sera fini, je monte le mât, je hisse la toile et on rentre. »

Il fallait passer une corde à travers les ouïes du poisson et la faire ressortir par la bouche afin de fixer sa tête contre la proue. Le vieux se mit à tirer sur l'espadon pour l'amener à flanc de barque. « Je veux le regarder, pensait-il, le toucher, le tâter. C'est ma fortune, ce poisson-là. Mais c'est pas pour ça que j'ai envie de le tâter. Je crois bien que j'ai senti son cœur, la deu-

xième fois que j'ai enfoncé le harpon. Bon.
Maintenant faut l'amener. Faut bien l'ar-
rimer. Je vais lui passer un nœud coulant
autour de la queue, et un autre autour de
son ventre. Comme ça, il sera bien attaché.

« Au travail, bonhomme », dit-il. Il but
une toute petite gorgée d'eau. « Y en a des
corvées à faire, maintenant que la bataille
est finie! »

Il regarda le ciel. Ses yeux se portèrent
ensuite vers son poisson. Il nota soigneusement la position du soleil. « Il est pas plus
de midi, pensa-t-il. L'alizé se lève. Les lignes, à présent, ça m'est bien égal. On
fera les épissures qu'il faudra quand je
serai rentré. »

« Allez, amène-toi, poisson », dit-il.

Mais le poisson ne s'amena point. Au
contraire, il restait là, vautré sur les flots
et le vieux dut tirer la barque jusqu'à lui.

La tête de l'espadon cogna contre la
proue; il était si grand que le vieux, qui

le touchait presque, n'en pouvait croire ses
yeux. Il n'en détacha pas moins de la bitte
la corde du harpon qu'il enfila dans une
des ouïes, et fit ressortir par la mâchoire;
il l'enroula autour du bec, la passa dans
l'autre ouïe, l'enroula une seconde fois
autour du bec, en noua les deux extrémités et fixa solidement le tout à la bitte
d'avant.

Après avoir coupé ce qui restait de corde,
il s'en alla à l'arrière ficeler la queue de la
même façon.

De rouge et argent qu'il était, le poisson avait viré à l'argent pur. Ses rayures
avaient la même teinte lilas que sa queue.
Elles étaient larges d'un empan. Son œil
saillait comme les miroirs d'un périscope,
se détachait comme un saint dans une pro-
cession.

« Y avait pas d'autre façon de le tuer »,
dit le vieux. La gorgée d'eau qu'il avait
bue lui avait fait du bien. Sa tête était
claire. Il ne s'évanouirait pas.

« Tel quel, il fait la tonne, au moins,
pensa-t-il. Largement. Sinon plus. Une fois
paré, il en restera les deux tiers. A trente
cents la livre, ça chiffre à combien? Il me
faudrait un crayon pour calculer ça, dit-il.
Ma tête fonctionne plus. Le grand Di Maggio, il serait fier de moi aujourd'hui. J'ai
pas de bec de bécasse, mais qu'est-ce que
j'ai pris dans le dos et dans les mains! Je
me demande ce que c'est, un bec de bécasse, pensa-t-il. Peut-être qu'on a ça sans
le savoir? »

Il fixa le poisson à l'avant, à l'arrière et
au banc de milieu. Le poisson était si
grand qu'il semblait que c'était son propre
bateau que le vieux amarrait à un bateau
plus vaste. Il coupa un morceau de ligne
pour lier la mâchoire inférieure de l'espadon à son nez, afin que sa bouche ne bâil-
lât point, ce qui eût freiné l'embarcation.
Enfin il dressa le mât. S'aidant du bâton
qui lui servait de gaffe, il disposa la voile.
Celle-ci s'enfla; le bateau s'ébranla; à moi-

tié couché à l'arrière, le vieux mit le cap
au sud-ouest.

Il n'avait pas besoin de boussole pour
savoir où était le sud-ouest. Il lui suffisait
de sentir l'alizé souffler et la voile tirer.
Je ferais bien de poser une petite ligne
avec une cuiller, histoire d'attraper quelque chose qui me mette un peu de jus dans
le corps. Mais il ne réussit pas à trouver de
cuiller et sa provision de sardines était
gâtée. Au passage, il accrocha un bouquet
d'herbe jaune du Gulf, qu'il secoua afin
de faire tomber les petites crevettes qui s'y
trouvaient nichées. Il y en eut bientôt plus
d'une douzaine sur le plancher de la barque : elles gigotaient et sautaient comme
des puces de mer. Le vieux leur détachait
la tête en serrant avec le pouce et l'index
et les mangeait, carapace et tout. Elles
étaient minuscules, mais elles avaient bon
goût, et cela nourrissait. Il restait dans la
bouteille la valeur de deux verres d'eau.
Les crevettes avalées, il en but la moitié

d'un. La barque filait bien, compte tenu
de ce qu'elle avait à traîner; le vieux tenait
la barre sous le bras. Il avait son poisson
sous les yeux; il lui suffisait d'ailleurs de
sentir son dos douloureux contre le rebord
de l'arrière, il lui suffisait de regarder ses
mains, pour se convaincre que cette aventure avait réellement eu lieu, que ce n'était
pas un songe. A un moment donné, vers la
fin du combat, lorsqu'il s'était senti si faible, l'idée qu'il était en train de rêver
l'avait saisi. Quand l'espadon était sorti de
l'eau et s'était tenu immobile dans le ciel
avant de retomber, il s'était dit qu'il y
avait là quelque chose de bien étrange, à
quoi l'on ne pouvait raisonnablement
croire. Il est vrai qu'à cet instant sa vue
était toute brouillée. A présent il y voyait
aussi bien que d'habitude.

Le poisson était là. Ses mains, son dos
n'étaient pas un songe. « Les mains, ça
guérit vite, pensa-t-il. Je les ai bien fait
saigner et l'eau de mer les cicatrisera. La

bonne eau noire du Gulf, c'est la meilleure médecine du monde. Ce qu'il faut, c'est pas perdre la boule. Les mains se sont bien débrouillées.

« On navigue pas mal. Avec sa gueule coincée et sa queue bien droite, nous deux le poisson on navigue en frères. » Ses idées recommencèrent à se brouiller un peu. Il se demandait : « C'est-y lui qui me ramène ou c'est-y moi? Si je l'avais à la remorque, ça ferait pas de question. Si il était dans la barque, tout minable, ça ferait pas de question non plus. » Mais ils naviguaient tous les deux attachés côte à côte et le vieux se disait : « Après tout, qu'il me ramène si ça lui fait plaisir. Je n'ai eu le dessus que grâce à des trucs pas propres; il me voulait pas de mal, lui. »

La barque filait bon train. Le vieux laissait tremper ses mains dans l'eau salée et essayait de ne pas perdre le fil de ses idées. Au-dessus d'eux les hauts cumulus, les cirrus abondants faisaient espérer que le vent

soufflerait toute la nuit. Le vieux ne détachait pas ses regards du poisson. C'était
donc vrai! Une heure plus tard, le premier
requin attaqua.

Ce requin n'était pas là par hasard. Il
avait quitté les vastes profondeurs de
l'océan lorsque le sombre nuage de sang
s'était formé, puis dispersé à travers les
mille mètres de fond.

Il était monté si vite et si étourdiment
qu'il avait brisé la surface de l'eau bleue.
Ebloui par le soleil, il était retombé dans
la mer, avait retrouvé la trace du sang et
s'était lancé à la poursuite du poisson et
de la barque.

De temps à autre, il perdait la piste.
Mais il la retrouvait, ou quelque indice le
guidait. Il nageait sans se lasser et sans perdre de temps. C'était un superbe requin
Mako bâti pour la vitesse, aussi rapide que
le poisson le plus rapide; tout en lui était
beau, sauf la gueule. Son dos était bleu
comme celui d'un espadon, son ventre était

couleur d'argent, sa peau belle et satinée.
Il avait la forme de l'espadon à l'exception
des mâchoires : les siennes étaient énormes;
il les tenait fermées, nageant à toute vitesse, tout près de la surface. Sa haute nageoire dorsale fendait l'eau comme une
lame d'acier. Dans sa gueule close, il y
avait huit rangées de dents plantées en
biais, la pointe vers l'intérieur. Ces dents
n'ont pas la forme pyramidale qu'on ren-
contre chez la plupart des requins, mais
ressemblent à des doigts d'hommes crispés
comme des serres. Elles étaient presque
aussi longues que les doigts du vieux, et
coupantes comme des rasoirs sur leurs deux
faces. Les poissons de la mer qui sont si
rapides et si bien armés, n'ont pas d'autre
ennemi que cet animal : il est capable de
les manger tous.

Le requin se hâtait davantage à mesure
que se précisait la piste, et fendait l'eau de
son aileron bleu.

Quand le vieux l'aperçut, il vit tout de

suite que c'était un requin qui n'avait
peur de rien et ferait exactement ce qui
lui plairait. Tout en l'observant, il pré-
para le harpon et attacha la corde. Celle-ci
était courte : il lui manquait ce que le
vieux en avait coupé pour amarrer l'espadon.

Le vieux se sentait ferme et lucide. Il
était résolu, mais ne se faisait guère d'illusions. « C'était trop beau pour que ça
dure », pensa-t-il. Il regarda longuement
son grand poisson tout en surveillant l'ap-
proche du requin. « Ça aurait aussi bien
pu être un rêve, pensa-t-il. Je peux pas
empêcher celui-là de m'attaquer, mais
peut-être que je pourrai l'avoir. *Dentuso*,
pensa-t-il. Fils de pute. »

Le requin talonnait l'arrière de la barque. Lorsqu'il attaqua l'espadon, le vieux
vit sa gueule béante, et ses yeux étranges;
il entendit le claquement des dents qui
s'enfonçaient dans la chair juste au-dessus
de la queue. La tête du requin sortait de

l'eau; son dos affleurait à la surface; la peau
et la chair de l'espadon se déchirèrent au
moment où le vieux lança son harpon sur
la tête du requin. Il visait l'endroit où la
ligne qui va d'un œil à l'autre se croise
avec celle qui prolonge directement le nez.

Ce n'étaient que des lignes idéales. Il n'y
avait en réalité que la tête bleue, lourde
et pointue, les gros yeux, les mâchoires cla-
quantes, menaçantes, dévorantes. En tout
cas c'était là l'emplacement du cerveau. Le
vieux frappa juste à cet endroit. Il frappa
de ses mains sanglantes et poisseuses, enfonçant son bon harpon dans un suprême
effort. Il frappa sans se faire d'illusions,
mais avec la volonté de tuer et toute la
haine possible.

Le requin se retourna sur le côté et le
vieux vit que son œil était sans vie. Il
retomba de l'autre côté, s'enroulant deux
fois dans la corde. Le vieux savait que le
requin avait son compte, mais celui-ci ne
l'entendait pas ainsi : couché sur le dos, sa

queue fouillant l'air, ses mâchoires cla-
quant dans le vide, il faisait tourbillonner
l'eau comme un canot de course. A l'endroit où sa queue s'agitait, jaillissait
l'écume; il était aux trois quarts sorti de
l'eau quand, tout à coup, la corde se tendit,
frémit, et cassa net. Sous les regards atten-
tifs du vieux le requin resta immobile
pendant une minute. Puis, lentement, il
coula.

« Il m'en a bien pris quarante livres, dit
le vieil homme tout haut. Il m'a pris aussi
mon harpon et toute la corde, pensa-t-il;
et maintenant que mon poisson a
recommencé à saigner, il va en venir
d'autres. »

Il n'avait plus envie de regarder le poisson depuis qu'il avait été mutilé. Quand
le poisson avait été touché, il lui avait sem-
blé qu'on le dévorait lui-même.

« Mais, bon sang, j'ai tué le requin qui
me mangeait mon poisson, pensa-t-il. Et
c'était le plus gros *dentuso* que j'aie jamais

vu. Et Dieu sait si j'en ai vu des gros dans
ma vie! »

« C'était trop beau pour que ça dure,
pensa-t-il. C'est maintenant que je voudrais que ça soit un rêve! Je voudrais
l'avoir jamais pris, ce poisson-là. Je voudrais être tout seul dans mon lit, sur le
paquet de journaux. »

« Mais l'homme ne doit jamais s'avouer
vaincu, dit-il. Un homme, ça peut être
détruit, mais pas vaincu. Je regrette d'avoir
tué ce poisson, pensa-t-il. C'est maintenant
que ça va commencer à se gâter et j'ai
même plus de harpon. Le *dentuso* c'est
méchant, c'est fort, c'est malin. Pourtant
j'ai été plus malin que lui. Sait-on jamais?
pensa-t-il. Ce qu'y a de certain c'est que
j'étais mieux armé que lui. »

« Raisonne pas tant, bonhomme, dit-il
tout haut. Navigue de ton mieux, et prends
les choses comme elles viennent. »

« Faut pourtant que je réfléchisse, pensa-
t-il. Parce que, de réfléchir, c'est tout ce

qui me reste. Avec le base-ball. Je me demande ce que le grand Di Maggio aurait
pensé de ce coup que j'y ai allongé, au
requin, en plein dans la cervelle? Bah!
c'était pas si formidable que ça, pensa-t-il.
N'importe qui aurait pu en faire autant.
Mes écorchures, dans les mains, savoir si
c'était aussi gênant qu'un bec de bécasse?
Je me demande. Le talon m'a jamais fait
mal, excepté la fois que je me baignais, et
que j'ai marché sur une pastenague qui
m'a piqué. Même que ça m'a paralysé
toute la jambe. Ce que ça m'a fait mal,
bon sang! »

« Tu ferais mieux de penser à quelque
chose de gai, mon vieux, dit-il. A chaque
minute qui passe, tu te rapproches de chez
toi. On a perdu quarante livres, mais ça
va plus vite. »

Il ne savait que trop ce qu'il adviendrait
quand il arriverait dans le milieu du courant. Mais pour le moment il ne pouvait
rien faire.

« Mais si, voyons! s'exclama-t-il. Je peux toujours attacher mon couteau à un bout de rame. »

Ce qu'il fit, tout en maintenant la barre sous son bras et l'écoute de la voile sous son pied.

« Je suis toujours un vieux bonhomme, c'est une affaire entendue, mais j'ai encore une arme », dit-il.

La brise avait fraîchi. La barque filait. Le vieux ne regardait que la partie supérieure de son poisson. L'espoir renaissait en lui.

« Faut jamais désespérer, pensa-t-il. C'est idiot. Sans compter que c'est un péché, je crois bien. Bah! pense pas au péché. T'as assez de soucis comme ça dans ce moment sans te mettre à penser au péché! Et puis d'abord tu n'y entends goutte.

« Je n'y entends goutte et je ne suis pas bien sûr non plus d'y croire. Peut-être bien que c'était un péché de tuer ce poisson? Mais il me semble tout de même que

j'avais le droit, parce que je l'ai tué pour
pas crever de faim, et puis il va nourrir
beaucoup de gens. Ou alors, tout est péché.
Pense donc pas au péché. C'est trop tard,
et y a des gens qui sont payés pour ça.
Ils ont qu'à y penser, eux autres. Toi, t'es
né pêcheur, comme ce poisson-là il était né
poisson. Saint Pierre était pêcheur, et le
père du grand Di Maggio aussi. »

Mais il aimait réfléchir sur toute chose
qui le concernait. Comme il n'avait rien à
lire et point de radio, il méditait sans trêve.
Ses pensées revinrent au péché. « C'est pas
parce que tu crevais de faim que t'as tué
ce poisson-là, se dit-il. Ni pour le vendre.
Tu l'as tué par orgueil. Tu l'as tué parce
que t'es né pêcheur. Ce poisson-là tu l'ai-
mais quand il était en vie, et tu l'as aimé
aussi après. Si tu l'aimes, c'est pas un
péché de l'avoir tué. Ou c'est-y encore plus
mal? »

« Tu réfléchis trop, bonhomme, prononça-t-il. N'empêche que t'as été bien

content d'estourbir le *dentuso*, pensa-t-il.
Pourtant ça, c'est un animal qui se nourrit
de poissons vivants, comme toi. C'est pas
un charognard, c'est pas un estomac à nageoires comme certains requins. C'est beau,
le *dentuso*, c'est noble. Ça ne connaît pas
la peur. »

« J'étais en état de légitime défense, dit
le vieil homme tout haut. Et je l'ai rudement bien tué. »

« D'ailleurs, pensa-t-il, tout le monde
tue d'une manière ou de l'autre. La pêche
me tue au moins autant qu'elle me fait
vivre. Le gamin me fait vivre, lui, pensa-
t-il. Faut pas que je raconte d'histoires. »

Se penchant par-dessus bord, il détacha
un morceau de la chair du poisson à l'endroit où le requin avait mordu. Il le mastiqua longuement, appréciant sa finesse et
son goût agréable. C'était une chair ferme
et juteuse, comme de la viande, encore
qu'elle ne fût pas rouge. Ce n'était pas
filandreux non plus, et le vieux songea

qu'il en tirerait le meilleur prix au marché. Mais il n'existait aucun moyen d'empêcher son odeur de pénétrer la mer, et il s'attendait aux pires ennuis de ce côté-là.

La brise continuait à souffler. Elle avait appuyé encore un peu plus au nord-est, ce qui signifiait qu'elle ne tomberait pas. Le vieux scrutait l'horizon devant lui : pas la moindre voile, pas la moindre fumée, nul bateau en vue. Rien que des poissons volants qui jaillissaient à la proue de sa barque et s'en allaient tomber à côté des herbes jaunes du Gulf. On ne voyait même pas d'oiseaux.

Il navigua ainsi deux heures, accoté à l'arrière, mangeant de temps à autre un morceau d'espadon, tâchant de se reposer et de conserver ses forces. Tout à coup il aperçut le premier des deux requins.

« *Ay* », s'écria-t-il. Ce mot est intraduisible; peut-être même n'est-ce qu'un son, une de ces exclamations qui vous échappent malgré vous, quand un clou vous traverse la main et s'enfonce dans le bois.

« *Galanos* », s'écria-t-il. Il venait de voir le second aileron derrière le premier.

Ces requins appartenaient à l'espèce dite « museau en spatule ». Il les reconnaissait à l'aileron brun et triangulaire et au coup de balai de la queue. Ils avaient flairé la trace du poisson, mais la faim les mettait dans un tel état d'affolement qu'ils la perdaient et la reperdaient sans arrêt. Ils ne cessaient toutefois de se rapprocher.

Le vieux attacha l'écoute de la voile et immobilisa la barre, puis il saisit la rame où il avait fixé son couteau. Il la souleva aussi légèrement qu'il put, parce que ses paumes le faisaient horriblement souffrir. Il ouvrit et ferma les mains plusieurs fois sur le manche afin de les assouplir. Enfin, d'un coup sec, il les referma pour que la plus grande douleur fût passée quand il faudrait agir, et il attendit les requins. Il apercevait leurs larges museaux plats terminés en spatule, et les pointes blanches

de leurs nageoires pectorales. C'étaient des
animaux immondes, puants, plus charo-
gnards encore que chasseurs.

Quand ces requins-là ont faim, ils vont
jusqu'à mordre les rames ou le gouvernail des barques, à sectionner les pattes
des tortues endormies à la surface, à
attaquer l'homme, celui-ci ne portât-il sur
le corps la moindre odeur de poisson ou de
sang.

« *Ay,* dit le vieux. *Galanos.* Allons-y, *Galanos.* »

Ils attaquèrent, mais pas de la même façon que le Mako. L'un vira et disparut sous
le bateau. A chaque secousse qu'il donnait
en tirant sur le poisson, l'embarcation oscillait. L'autre requin surveillait le vieux du
coin de son sale petit œil jaune. Soudain,
les mâchoires béantes, il se jeta sur la partie de l'espadon qui était déjà entamée. La
ligne imaginaire se dessinait nettement du
sommet de sa tête noirâtre à l'endroit où la
cervelle rejoint l'épine dorsale : c'est là

qu'avec le couteau fixé à la rame le vieux
frappa. Il releva son arme et l'enfonça
à nouveau dans l'œil de chat du requin.
Celui-ci, presque en même temps, lâcha le
poisson, retomba, avala le morceau qu'il
avait arraché et mourut.

La barque oscillait toujours sous les at-
taques de l'autre bête. Le vieux laissa
aller l'écoute. La barque fit une embardée
et le requin apparut. Aussitôt qu'il l'aperçut, le vieux se pencha par-dessus bord et
lui porta un coup de couteau. Mais il n'atteignit que la chair, qu'il entama à peine,
à cause de l'épaisseur de la peau. Le coup
retentit douloureusement dans ses mains,
et dans son épaule. Le requin revint immé-
diatement à la charge, la tête hors de l'eau.
Au moment où son nez émergea et se posa
sur le poisson, le vieux frappa le sommet
de la tête plate. Relevant l'arme, il frappa
une seconde fois exactement au même
point. Le requin cependant restait accroché au poisson de toute sa mâchoire : le

vieux lui creva l'œil gauche. Le requin ne
bougea pas.

« Ça te suffit pas? » dit le vieux. Il plongea la lame entre les vertèbres et la cervelle, coup facile, au point où en étaient
les choses. Il sentit le cartilage se fendre.
Il retira son couteau et essaya de le pousser
entre les mâchoires du requin, afin de les
écarter. Il retourna la lame plusieurs fois
sur elle-même; quand enfin le requin lâcha
prise et s'enfonça, il lui dit : « Fous le camp,
galano. Dégringole à mille mètres de profondeur. Va-t'en rejoindre ton copain, à
moins que ça soit ta mère. »

Le vieux essuya la lame du couteau,
reposa l'aviron et rattrapa l'écoute; la voile
se gonfla et la barque repartit, dans la
bonne direction.

« Ils ont mangé au moins un quart du
poisson, et le meilleur, dit-il tout haut. Si
seulement c'était un rêve! Si seulement je
l'avait jamais ferré! Ça me fait chagrin,
tout ça, poisson. Ça démolit tout ce qu'on

a fait. » Il se tut et ne voulut plus regarder son poisson. Exsangue et ballotté sur les vagues, celui-ci avait pris cette couleur gris plombé qu'a le tain des glaces et l'on distinguait encore ses rayures.

« J'aurais pas dû aller si loin, poisson, dit-il. Ni pour toi, ni pour moi. Pardon, poisson. »

« C'est pas tout ça, se dit-il à lui-même. Regarde un peu la ficelle du couteau, des fois qu'elle aurait été coupée. Et puis, occupe-toi un peu de tes mains, parce qu'il va sûrement en venir d'autres. »

« Il me faudrait une pierre à aiguiser, dit-il après avoir vérifié la ligature du couteau sur le manche de la rame. J'aurais dû emporter une pierre à aiguiser. Y a bien des choses que t'aurais dû emporter, pensat-il. C'est pas le moment de penser à ce qui te manque. Pense plutôt à ce que tu peux faire avec ce qu'y a. »

« Oh! assez de sermons comme ça, dit-il tout haut. Fiche-moi la paix. »

Il cala la barre sous son bras et plongea les deux mains dans l'eau. La barque continuait sa course.

« Dieu sait combien celui-là en a emporté, dit-il. Enfin, la barque est plus légère qu'avant. » Il ne voulait pas penser au ventre mutilé du poisson. Il savait que chacune des secousses produites par le requin s'était soldée par un morceau de poisson arraché, et que le poisson traçait maintenant pour tous les requins de la mer une piste large comme un boulevard.

« Ce poisson-là, il aurait pu nourrir un homme pendant tout l'hiver, songea-t-il. Allez, faut pas y penser. Tu ferais mieux de te reposer un brin, puis de voir un peu à tes mains, qu'elles soient en état de défendre ce qui reste. L'odeur de mon sang sur mes mains, c'est pas grand-chose comparé à c't'odeur qui se répand dans l'eau. D'abord, mes mains, elles saignent pas tant que ça. Y a pas une seule entaille sérieuse. Et pour la gauche, une saignée comme ça, ça l'empêchera d'avoir des crampes.

« A quoi que je pourrais bien penser à présent? songea-t-il. A rien. Faut penser à rien et attendre la suite. Si seulement j'avais rêvé! Mais sait-on? Ça aurait pu tourner bien. »

Le requin suivant était seul. C'était un « museau en spatule » aussi. Il se jeta sur la proie comme un cochon sur l'auge, si l'on admet qu'un cochon ait une gueule assez large pour qu'un homme y mette sa tête. Le vieux le laissa mordre puis lui enfonça le couteau emmanché à l'aviron en plein milieu du cerveau. Mais en s'effondrant, le requin fit un bond en arrière et la lame se brisa.

Le vieux reprit la barre. Il ne jeta pas un regard vers le grand requin qui sombrait lentement, d'abord grandeur nature, puis plus petit, puis microscopique.

D'habitude, le vieux observait ces disparitions avec transport. Mais cette fois-là il ne tourna même pas la tête.

« J'ai plus que la gaffe, dit-il. Mais ça servira à pas grand-chose. J'ai les deux rames, j'ai le gouvernail, j'ai le gourdin. »

« Ils m'ont eu, pensa-t-il. Je suis trop vieux pour tuer les requins à coups de gourdin. Mais je me défendrai contre eux, nom de nom! tant que j'aurai le gouvernail et le gourdin, et les rames. »

Il trempa de nouveau ses mains dans la mer. L'après-midi touchait à sa fin. On ne voyait que l'eau et le ciel. Le vent s'était élevé; il pouvait espérer que la côte serait bientôt en vue.

« T'es fatigué, mon bonhomme, dit-il. Fatigué jusqu'à l'os. »

Les requins ne revinrent qu'à la tombée du jour.

Le vieux aperçut deux ailerons bruns qui fendaient l'eau derrière ce qui devait être la trace du poisson dans la mer. Les requins ne s'étaient même pas partagé la recherche du cadavre. Nageant côte à côte, ils fonçaient droit sur la barque.

Le vieux coinça la barre, bloqua la voile et attrapa le gourdin sous la poupe. C'était un ancien manche de rame qu'on avait scié et qui mesurait soixante-quinze centimètres environ. A cause de sa forme, on ne pouvait s'en servir utilement que d'une main.

Le vieux, fermement, l'empoigna de la main droite. Prêt à le brandir, il regarda les requins approcher. C'étaient encore deux *galanos*.

« Faut laisser le premier se mettre à table. A ce moment-là je lui tape sur le museau ou bien dans le travers de la tête », pensa-t-il.

Les deux requins attaquèrent ensemble. Quand le plus proche ouvrit les mâchoires et planta les dents dans le ventre argenté du poisson, le vieux éleva le gourdin aussi haut qu'il put et l'abattit, pesant et fracassant, sur la large tête. Le gourdin rencontra une sorte de résistance élastique. Mais le vieux sentit aussi la dureté de l'os; au moment où le *galano* se détachait du poisson, il lui assena un second coup sur le museau.

L'autre requin avait mordu plusieurs fois l'espadon. La gueule béante, il revenait encore. Des morceaux de chair pendaient aux coins de sa gueule, formant des traînées blanches. Il se jeta sur le poisson et referma ses mâchoires. Le vieux fit un moulinet avec le gourdin; hélas! il ne réussit qu'à toucher la tête. Le requin le regarda et arracha le morceau qu'il avait entamé. Au moment où il s'écartait pour l'avaler, le vieux lui porta un nouveau coup. Il ne heurta que l'épaisse masse élastique de la tête.

« Amène-toi, *galano,* dit le vieux. Amène-toi, voir! »

Rapide comme l'éclair, le requin revint. Le vieux l'atteignit quand il referma les mâchoires. Le gourdin haut levé, il lui déchargea un coup formidable. Cette fois, c'était l'os. De toutes ses forces le vieux cogna dessus. Le requin engourdi ne sombra pas sans emporter encore un morceau.

Il pouvait revenir; le vieux guetta, mais ni lui ni son camarade ne se montrèrent. Enfin, il en aperçut un qui tournait en rond à la surface de l'eau. Il ne vit pas l'aileron de l'autre.

« Je pouvais pas espérer les tuer, pensat-il. C'est plus comme dans le temps. Mais je leur ai quand même passé quelque chose de soigné à ces deux-là, et ils ne doivent pas se sentir très farauds. Une supposition que j'aurais eu un bâton que j'aurais pu tenir à deux mains, j'aurais tué le premier recta. Même à présent », pensa-t-il.

Il ne voulut pas regarder son poisson. Il en manquait une bonne moitié. Le soleil s'était couché, pendant qu'il se battait avec les requins.

« Va bientôt faire noir, dit-il. Je devrais voir les lumières de La Havane. Si c'est que je suis trop à l'est, je verrais les lumières d'une des plages nouvelles.

« Je devrais pas être tellement loin, maintenant, pensa-t-il. J'espère qu'on s'est pas fait trop de bile pour moi, là-bas. C'est pour le gamin que ça m'embête. Mais je suis sûr qu'il aura gardé bon espoir. C'est les vieux, aussi, qui se seront fait du mauvais sang. Et pas seulement les vieux, tiens! pensa-t-il. Tout ça, c'est du brave monde. »

C'était devenu difficile de faire la conversation au poisson : celui-ci était tellement abîmé. Soudain, le vieux eut une idée.

« Moitié de poisson, dit-il, poisson que tu étais, écoute. Je regrette bien d'être allé si loin. Ça nous a perdus tous les deux. Mais on a tué des tas de requins, toi et moi, et assaisonné pas mal d'autres. Combien que t'en avais tué, toi, mon petit vieux? C't'épée-là, que t'as sur le museau, tu l'as pas pour des prunes, hein? » Il était doux de penser au poisson, et à ce qu'il avait pu faire aux requins quand il nageait librement. « J'aurais dû lui couper son

épée et leur taper dessus avec, pensa-
t-il. Mais y avait pas de hache, et j'avais
plus de couteau. Alors?

« Ah! si j'avais pu! si je l'avais fixée à
un manche de rame, quelle arme que ça
m'aurait fait! On se serait battu tous les
deux contre ces saletés. Et maintenant
qu'est-ce que tu vas faire si ils s'amènent
dans le noir, hein? Qu'est-ce que tu peux
bien faire?

— Les chasser, dit-il. Je me battrai
contre eux jusqu'à la mort. »

Dans cette obscurité grandissante, sans
lumière ni lueur, avec la seule compagnie
du vent et l'élan régulier de la voile, il lui
semblait bien qu'il était déjà mort. Il joi-
gnit ses deux mains, il en toucha les paumes. Elles n'étaient pas mortes le moins
du monde, elles, et pour retrouver la souf-
france et la vie il n'avait qu'à les ouvrir et
les refermer. Il s'adossa contre l'arrière :
il n'était pas mort, grands dieux! Ses épaules se chargeaient de le lui dire.

« Y a toutes ces prières que j'ai promises si j'attrapais le poisson, dit-il. Je suis trop fatigué pour les dire maintenant. Je ferais bien de trouver le sac et de me le mettre sur les épaules. »

A demi couché, attentif à la barre, il guettait la première lumière à apparaître au fond du ciel. « Il en reste la moitié, pensa-t-il. Peut-être que j'aurai la veine de la ramener, c'te moitié du haut. J'ai bien mérité un peu de veine. C'est pas vrai, dit-il, en allant trop loin j'ai tenté le diable. »

« Pas d'idioties, dit-il tout haut. Tâche plutôt de pas t'endormir et de garder le cap. T'auras peut-être de la veine tout de même.

— La veine. J'aimerais bien en acheter un morceau si on la vend quelque part », dit-il.

« Et avec quoi que je l'achèterai? se demanda-t-il à lui-même. C'est-y avec un harpon perdu, un couteau cassé et deux mains malades que je la paierai?

— Et pourquoi pas? dit-il. T'as bien essayé de l'acheter avec quatre-vingt-quatre jours de mer. Même qu'on te l'a presque vendue. »

« Qu'est-ce que c'est que toutes ces bêtises-là? songea-t-il. La veine, c'est quelque chose qui se ressemble jamais deux fois de suite. Bien malin qui la reconnaît. Tout de même, si elle se présentait, la veine, je ferais tout ce qu'elle me dirait! Je voudrais apercevoir une lumière, pensa-t-il. J'en veux-t-y des choses! Non, c'est vraiment ça que je veux à présent. » Il chercha une position plus confortable pour barrer; la douleur que réveilla ce mouvement lui confirma qu'il n'était pas mort.

Aux alentours de dix heures du soir, il distingua, réfléchi sur la mer, le halo des lumières de la ville. Ce ne fut d'abord qu'une clarté diffuse semblable à celle qui précède le lever de la lune; puis les lumières devinrent des points fixes; elles perçaient l'espace marin : il y avait une forte

houle, car la brise avait beaucoup fraîchi.
Le vieux maintenait le cap sur les lumières. Il estima qu'il ne devait pas se trouver
bien loin de la frange du courant.

« C'est fini maintenant, pensa-t-il. Ils
vont probablement remettre ça. Mais
qu'est-ce qu'on peut faire dans le noir, et
pas armé? »

Il était raide; il avait mal partout, le froid
de la nuit réveillait toutes ses blessures,
toutes les douleurs de son corps surmené.

« Pourvu que je sois pas encore obligé
de leur taper dessus! pensa-t-il. Je voudrais
tant ne pas être obligé de leur taper dessus! »

Mais à minuit le combat recommença.
Cette fois le vieux savait que cela ne ser-
virait à rien. Il avait contre lui une véritable meute. On ne voyait rien d'autre que
la trace des ailerons dans l'eau et la traînée
phosphorescente que les requins laissaient
chaque fois qu'ils se jetaient sur le poisson. Le vieux cognait au hasard sur des

têtes, il entendait des mâchoires claquer.
La barque oscillait sur des dos. Le vieux
résistait avec désespoir à un ennemi qu'il
entendait et devinait seulement. Soudain
le gourdin lui échappa : quelque chose s'en
était emparé.

Alors, il décrocha la barre du gouvernail,
la prit à deux mains et se remit à cogner
dans tous les sens. Mais les requins se pres-
saient contre la poupe. Tantôt l'un derrière l'autre, tantôt ensemble, ils s'élançaient sur le poisson, arrachant des morceaux de chair que l'on voyait briller à
travers l'eau quand ils se retournaient pour
revenir à la charge.

Un dernier survint, qui s'attaqua à la
tête. Le vieux comprit que tout était fini.
Il brandit la barre et l'abattit sur la mâchoire même du requin qui était comme
coincée dans les cartilages de la tête du
poisson. Il cogna deux fois, trois fois, dix
fois. La barre se rompit. Il continua à
cogner avec le morceau cassé. Il le sentit

entrer dans la bête; déduisant de cela qu'il
était très pointu, il frappa encore. Le requin lâcha prise et se tordit. C'était le
dernier de la meute. Il ne restait plus rien
à manger pour personne.

Le vieil homme respirait avec les plus
grandes difficultés; il avait dans la bouche
un goût bizarre, ferreux et douceâtre qui
l'effraya beaucoup sur le moment. Mais
c'était assez peu de chose.

Il cracha dans l'océan et dit : « Avalez
ça, *galanos*. Et que ça vous fasse rêver que
vous avez tué un homme. »

Il se savait vaincu, définitivement et sans
remède. Il retourna à l'arrière; le bout
cassé de la barre ne s'adaptait plus à la
fente du gouvernail. Impossible désormais
de barrer. Il s'enveloppa les épaules dans
le sac et bloqua le gouvernail dans la direction voulue. La barque était bien légère maintenant, et le vieux n'avait plus
ni sentiments ni pensées. Il était au-delà
de tout; il ne songeait plus qu'à ramener sa

barque au port, aussi bien, aussi intelli-
gemment que possible.

Dans les ténèbres, des requins venaient
mordre la carcasse comme des pauvres qui
ramasseraient les miettes d'une table. Le
vieux n'y faisait même pas attention. Il ne
faisait attention à rien, si ce n'est à sa voile.
Il remarquait seulement combien la barque
filait vite sans ce grand poids à son flanc.

« Elle a tenu le coup, pensa-t-il. Elle est
intacte, pas abîmée pour un sou à part la
barre. Bah! une barre c'est facile à rem-
placer. »

Il était rentré dans le courant; il voyait
les lumières de toutes les plages éparses le
long de la côte; il savait où il était. Le
retour au port ne serait plus qu'un jeu
d'enfant.

« On a le vent pour nous, en tout cas,
pensa-t-il. Enfin, je veux dire de temps en
temps, ajouta-t-il. Et aussi la grande mer,
avec nos amis et nos ennemis. Et puis le lit,
pensa-t-il. Le lit, ça c'est un ami! Rien que

le lit, pensa-t-il. Ça sera-t-y bon d'être au
lit! Ce que ça peut être facile, les choses,
quand on a perdu, pensa-t-il. J'aurais jamais cru que c'était si facile. Et qu'est-ce
que c'est qui t'a fait perdre? pensa-t-il.

— Rien, prononça-t-il. C'est que j'ai été
trop loin. »

Quand il entra dans le petit port, les
lumières de la *Terrasse* étaient éteintes et
il comprit que tout le monde était couché.
La brise, qui avait grossi sans arrêt, soufflait avec violence. Toutefois, dans le port,
l'eau était calme, et le vieux parvint jusqu'à un petit tas de galets qui se trouvait
au pied des rochers. Comme il n'y avait
personne pour l'aider, il rama aussi loin
qu'il put, puis il sortit de la barque et l'attacha à une pierre.

Il démonta le mât, amena la voile et la
plia. Ensuite, il mit le mât sur son épaule
et commença à monter la côte. C'est alors
qu'il éprouva l'immensité de sa fatigue. Il
s'arrêta un instant, se retourna et aperçut

dans la lumière d'un réverbère la grande
queue de l'espadon qui se dressait, bien
plus haute que la poupe de la barque. Il
distingua la ligne blanche et nue que dessinait l'arête, ainsi que la masse sombre de
la tête, l'épée et ce vide, tout ce vide.

Il se remit à gravir la pente. En arrivant
au sommet, il tomba et resta prostré, le
mât en travers des épaules. Il essaya de se
relever : c'était au-dessus de ses forces.
Assis, soutenant le mât, il regardait la
route. Un chat passa de l'autre côté, va-
quant à ses affaires.

Finalement le vieux posa son fardeau à
terre et se remit debout. Il ramassa le mât,
la chargea sur son épaule et poursuivit son
chemin. Il lui fallut s'asseoir encore cinq
fois.

Dans la cabane, il appuya le mât contre
le mur. A tâtons il trouva une bouteille
d'eau et but. Puis il tomba sur son lit. Il
tira la couverture sur ses épaules, l'arrangea sur ses pieds et sur son dos. A plat

ventre sur les vieux journaux, les bras en
croix, les paumes tournées vers le ciel, il
s'endormit.

Le lendemain main, le gamin entrouvrit
la porte et passa la tête. Le vieux dormait
toujours. Le temps était trop mauvais pour
que les bateaux pussent sortir; aussi le
gamin avait-il dormi tard. Comme les ma-
tins précédents, il était venu. D'abord, il
s'assura que le vieux respirait. Ensuite il
vit les mains et pleura. Sans bruit il sortit
et courut chercher du café. Il pleurait en
dévalant la côte.

La barque était entourée de pêcheurs
qui examinaient ce qu'elle portait à son
flanc. L'un d'eux avait retroussé son pantalon pour entrer dans l'eau et mesurait la
longueur du squelette avec une ficelle. Le
gamin ne descendit pas jusque-là. Il était
déjà venu et avait chargé un pêcheur de
veiller sur la barque.

« Comment qu'il va? cria d'en bas l'un
des hommes.

— Il dort », répondit le gamin. Il lui
était indifférent qu'on le vît pleurer. « Faut
pas le déranger, surtout.

— Il avait six mètres de la tête à la
queue, cria le pêcheur qui avait mesuré
la carcasse.

— Ça m'étonne pas », dit le gamin.

Il entra à la *Terrasse* et demanda du
café dans un pot.

« Bien chaud, avec plein de lait et de
sucre.

— Et avec ça?

— Ça ira. Tout à l'heure je verrai ce
qu'il peut manger.

— Pour un poisson, c'était un poisson,
dit le patron. On n'en a jamais vu de
pareil. Toi aussi, les deux que t'as eus hier,
ils étaient beaux.

— Je m'en fous, dit le gamin, qui
fondit en larmes.

— Tu veux pas boire quelque chose?
demanda le patron.

— Non, dit le gamin. Dis-leur qu'ils

viennent pas embêter Santiago. Je reviendrai tout à l'heure.

— Dis-y de ma part que je le plains.

— Merci », dit le gamin.

Il apporta le café chaud à la cabane du vieux et resta assis à son côté jusqu'à ce qu'il ouvrît les yeux. Une fois, le vieux parut s'éveiller, mais il se replongea aussitôt dans un lourd sommeil. Le gamin traversa la route et alla emprunter un peu de bois pour faire réchauffer le café.

Enfin le vieil homme s'agita.

« Bouge pas, dit le gamin. Avale ça. » Il versa un peu de café dans un verre.

Le vieux prit le verre et but.

« Ils m'ont eu, Manolin, dit-il. Ils m'ont eu jusqu'au trognon.

— Pas *lui*, en tout cas. Pas le poisson.

— Non, ça c'est vrai. C'est après.

— Pedrico monte la garde à côté de ta barque et de tes agrès. Qu'est-ce que tu veux qu'on fasse de la tête?

— Dis à Pedrico qu'il la coupe en morceaux. Ça servira à appâter les nasses.

— Et l'épée?

— Ça te ferait plaisir? C'est pour toi.

— Je te crois que ça me ferait plaisir! dit le gamin. Maintenant faut qu'on se mette d'accord pour tout le reste.

— C'est-y qu'ils m'ont cherché?

— Naturellement. Avec des vedettes et des avions.

— Dame, c'est que c'est grand, la mer! C'est pas rien d'y repérer une toute petite barque », dit le vieux. C'était bien agréable d'avoir quelqu'un à qui parler! Tellement mieux que de se parler tout seul à soi-même, ou à l'océan. « Tu m'as manqué, tu sais, dit-il. Qu'est-ce que t'as attrapé?

— Un gros le premier jour, un autre le second, et deux le troisième.

— C'est pas mal, ça.

— On va se remettre à pêcher ensemble tous les deux.

— Non. J'ai pas de veine. J'ai plus de veine du tout.

— La veine, je m'en fous, dit le gamin.
J'en ai, de la veine, moi.

— Chez toi, qu'est-ce qu'ils diront?

— Ça m'est bien égal. J'en ai pris deux
hier. Maintenant on va se remettre à pêcher ensemble. Tu comprends, j'ai encore
des tas de trucs à apprendre.

— Faut qu'on se fabrique une belle
lance de combat et qu'on l'ait toujours à
bord. Pour le fer, y a qu'à prendre un bout
de ressort à une vieille Ford. On le ferait
affûter à Guanabacoa. Faut que ça soit très
pointu et pas trop trempé pour pas que
ça casse. Mon couteau, il a bien cassé.

— Je te trouverai un autre couteau et
je ferai aiguiser le ressort. Pour combien
de jours qu'on en a, tu crois, de cette *brisa*
à tout casser?

— Peut-être trois, peut-être plus.

— Ça va, alors. J'ai le temps d'arranger
tout. Toi, grand-père, tu t'occupes d'abord
de tes mains.

— Oh! les mains, je sais bien ce qu'il

faut faire. Cette nuit, j'ai craché une drôle
de saleté, et j'ai senti comme si j'avais
quelque chose de craqué dans la poitrine.

— Ça aussi, faut s'en occuper, dit le
gamin. Allez, allonge-toi, grand-père; je
vais t'apporter une chemise propre et puis
quelque chose à manger.

— Apporte-moi donc les journaux des
jours où j'étais pas là, dit le vieux.

— Faut te remettre vite, tu comprends,
parce que j'ai des tas de trucs à apprendre,
et toi tu connais tout. Ça a été dur, hein?

— J'te crois! dit le vieux.

— Bon. Je vais chercher à manger et
les journaux, dit le gamin. Repose-toi bien,
grand-père. Je demanderai une pommade
au pharmacien pour tes mains.

— Oublie pas de dire à Pedrico que la
tête c'est pour lui, hein?

— J'oublie pas. »

Sitôt la porte franchie, sur la mauvaise
route en débris de coraux, le gamin se
remit à pleurer.

Ce jour-là, il était venu tout un groupe de touristes. Ils étaient assis à la *Terrasse* et contemplaient la plage encombrée de boîtes de conserves et de barracudas crevés. Tandis que le vent d'est agitait la mer à l'entrée du port, une des dames aperçut une longue arête blanche terminée par une immense queue qui se soulevait et se balançait au gré du ressac.

« Qu'est-ce que c'est que ça? » demanda-t-elle au garçon, en désignant la longue épine dorsale du grand poisson qui n'était plus maintenant qu'une carcasse prête à se laisser emporter par la marée.

— *Tiburon*, dit le garçon. *Réquine.* » Il croyait expliquer ainsi ce qui s'était passé.

« Je ne savais pas que les requins avaient de si belles queues, d'une si jolie forme, s'exclama la dame.

— Moi non plus », dit l'homme qui l'accompagnait.

Dans la cabane, là-bas, tout en haut, le vieux s'était endormi. Il gisait toujours sur le ventre. Le gamin, assis à côté de lui, le regardait dormir. Le vieux rêvait de lions.

BRODARD ET TAUPIN — IMPRIMEUR - RELIEUR
Paris-Coulommiers. — France.
05.688-VII-2-0624 - Dépôt légal n° 5211, 1er trimestre 1966.
LE LIVRE DE POCHE - 4, rue de Galliéra, Paris.

Littérature, roman, théâtre poésie

Alain-Fournier.
Le grand Meaulnes, 1000.
Allais (Alphonse).
Allais... grement, 1392.
Ambrière (Francis).
Les Grandes Vacances, 693-694.
Anouilh (Jean).
Le Voyageur sans Bagage suivi de *Le Bal des Voleurs,* 678.
La Sauvage suivi de *L'Invitation au Château,* 748-749.
Le Rendez-vous de Senlis suivi de *Léocadia,* 846
Colombe, 1049.
L'Alouette, 1153.
Apollinaire (Guillaume).
Poésies, 771.
Aragon (Louis).
Les Cloches de Bâle, 59-60.
Les Beaux Quartiers, 133-134.
Les Voyageurs de l'Impériale, 768-9-70.
Aurélien, 1142-3-4.
Arland (Marcel).
Terre Natale, 1264.
Arnaud (Georges).
Le Salaire de la Peur, 73.
Le Voyage du mauvais Larron, 1438.
Audiberti (Jacques).
Le Mal court suivi de *L'Effet Glapion,* 911.
Audoux (Marguerite).
Marie-Claire, 742.
Aymé (Marcel).
La Jument Verte, 108.
Le Passe-Muraille, 218.
La Vouivre, 1230.
La Tête des Autres, 180.
Clérambard, 306.
Lucienne et le Boucher, 451.
Travelingue, 1468.
Barbusse (Henri).
L'Enfer, 591.
Barjavel (René).
Ravage, 520.

Barrès (Maurice).
La Colline inspirée, 773.
Barrow (John).
Les Mutins du «Bounty», 1022-23.
Baum (Vicki).
Lac-aux-Dames, 167.
Grand Hôtel, 181-182.
Sang et Volupté à Bali, 323-324.
Prenez garde aux Biches, 1082-3.
Bazin (Hervé).
Vipère au Poing, 58.
La Mort du Petit Cheval, 112.
La Tête contre les Murs, 201-202.
Lève-toi et marche, 329.
L'Huile sur le Feu, 407.
Qui j'ose aimer, 599.
Beauvoir (Simone de).
L'Invitée, 793-794.
- *Mémoires d'une Jeune Fille rangée,* 1315-16.
La Force de l'Age, 1458-59-60.
Benoit (Pierre).
Kœnigsmark, 1.
Mademoiselle de la Ferté, 15.
La Châtelaine du Liban, 82.
Le Lac Salé, 99.
Axelle suivi de *Cavalier 6,* 117-118.
L'Atlantide, 151.
Le Roi Lépreux, 174.
La Chaussée des Géants, 223-24.
Alberte, 276.
Pour Don Carlos, 375.
Le Soleil de Minuit, 408.
Erromango, 516-17.
Le Déjeuner de Sousceyrac, 633.
Le Puits de Jacob, 663.
Le Désert de Gobi, 931.
Monsieur de la Ferté, 947.
Les Compagnons d'Ulysse, 1225.
L'Ile verte, 1442.
Béraud (Henri).
Le Bois du Templier pendu, 1439.
Bernanos (Georges).
Journal d'un Curé de Campagne, 103.

Le Soulier de Satin, 1295-6.

Coccioli (Carlo).
Le Ciel et la Terre, 511-512.
Le Caillou blanc, 920-921.

Cocteau (Jean).
Les Parents terribles, 128.
Thomas l'Imposteur, 244.
Les Enfants terribles, 399.
La Machine infernale, 854.

Colette.
L'Ingénue libertine, 11.
Gigi, 89.
La Chatte, 96.
La Seconde, 116.
Duo suivi de *Le Toutounier*, 123.
Claudine à l'Ecole, 193.
Claudine à Paris, 213.
Claudine en Ménage, 219.
Claudine s'en va, 238.
La Vagabonde, 283.
Chéri, 307.
La Retraite sentimentale, 341.
Sido suivi de *Les Vrilles de la Vigne*, 373.
Mitsou, 630.
La Maison de Claudine, 763.
Chambre d'Hôtel suivi de *La Lune de Pluie*, 1312.

Conrad (Joseph).
Typhon, 256.
Lord Jim, 1347-48.

Constantin-Weyer (Maurice).
Un Homme se penche sur son Passé, 371.

Courteline (Georges).
Les Femmes d'Amis, 1273.
Boubouroche, Lidoire et Potiron, 1340.
Ah! Jeunesse! 1386.

Cronin (A. J.).
Les Clés du Royaume, 2.
La Dame aux Œillets, 30.
Sous le regard des Etoiles, 64.
Le Destin de Robert Shannon, 95.
Les Années d'Illusion, 198.
Le Jardinier espagnol, 439.
Le Chapelier et son Château, 549-50-51.
Les vertes Années, 652-3.
L'Épée de Justice, 898-99.
La Citadelle, 1146-47.

Curvers (Alexis).
Tempo di Roma, 1317-18.

Dabit (Eugène).
Hôtel du Nord, 14.

Daniel-Rops.
Mort, où est ta Victoire? 71-72.
L'Epée de Feu, 165-166.
L'Ame obscure, 937-938.

Daninos (Pierre).
Tout Sonia, 154-155.
Carnets du Major Thompson, 554.
Un certain Monsieur Blot, 1278.
Le Jacassin, 1455.

Daudet (Alphonse).
Lettres de mon Moulin, 848.
Le Petit Chose, 925.
Contes du Lundi, 1058.
Tartarin sur les Alpes, 1263.

Dietrich (Luc).
Le Bonheur des Tristes, 875.

Dorgelès (Roland).
Le Cabaret de la Belle Femme, 92.
Les Croix de Bois, 189-190.
Le Château des Brouillards, 507.

Dos Passos (John).
Manhattan Transfer, 740-741.

Drieu La Rochelle.
Gilles, 831-832.
L'Homme à cheval, 1473.

Druon (Maurice).
Les Grandes Familles, 75-76.
La Chute des Corps, 614-615.
Rendez-vous aux Enfers, 896-897.

Duhamel (Georges).
Le Notaire du Havre, 731.
Le Jardin des Bêtes Sauvages, 872.
Vue de La Terre Promise, 963.
La Nuit de la Saint-Jean, 1150.
Le Désert de Bièvres, 1363.

Dumas Fils (Alexandre).
La Dame aux Camélias, 125.

Durrell (Lawrence).
Justine, 993-994.
Balthazar, 1060-61.
Mountolive, 1130-31.
Cléa, 1227-28.
Cefalû, 1469-70.

Dutourd (Jean).
Au Bon Beurre, 195-196.
Les Taxis de la Marne, 865.

Eluard (Paul).
Poèmes, 1003-4.

Faulkner (William).
Sanctuaire, 362-363.
Le Bruit et la Fureur, 501-502.
Lumière d'Août, 753-4-5.

Ferber (Edna).
Saratoga, 304-305.

Le Livre de Poche historique
(Histoire, biographies)

Le Livre de Poche
exploration

Le Livre de Poche
encyclopédique